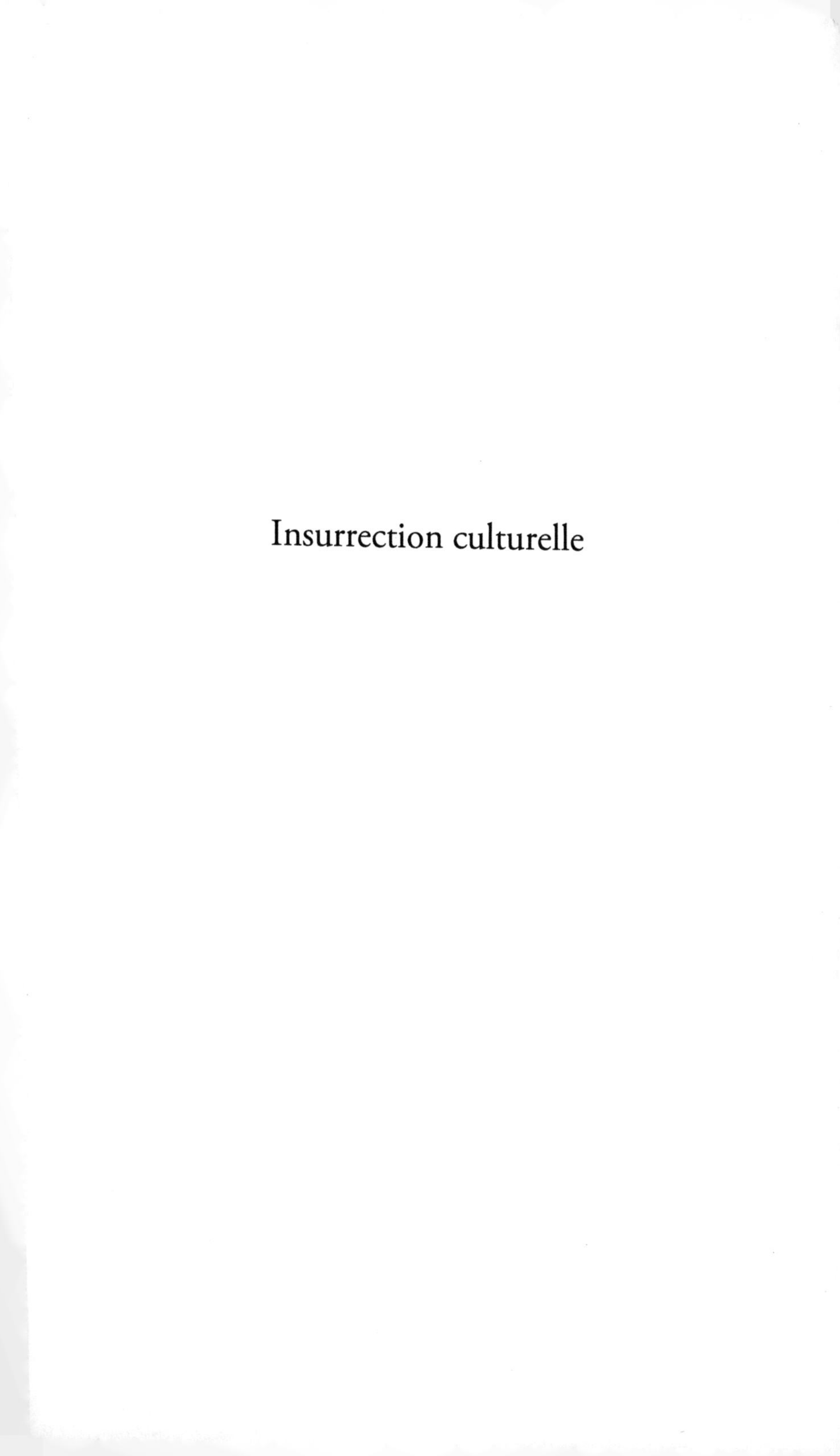

Insurrection culturelle

ŒUVRES DE JONATHAN NOSSITER

FILMS

Résistance naturelle (éditions Rézo, 2014)
Rio Sex Comedy (éditions Océan, 2011)
Mondovino, La Série (éditions Diaphana, 2006)
Mondovino (éditions Diaphana, 2004)
Signs & Wonders (éditions MK2, 2 000)
Sunday (éditions MK2, 1997)
Resident Alien (éditions MK2, 1991)

LIVRE

Le Goût et le Pouvoir, Grasset, 2007

Jonathan Nossiter
Olivier Beuvelet

Insurrection culturelle

Stock

Couverture Atelier Didier Thimonier
Illustration : © Chiara Rapaccini RAP

ISBN 978-2-234-07906-9

À nos enfants et (*magari*) à leurs enfants

Préface
de Jonathan Nossiter

Je me retrouve aujourd'hui, comme beaucoup d'artistes et d'artisans, dans un état de terreur devant mes enfants. J'ai construit ma vie autour de l'idée que le travail d'un cinéaste, comme celui d'un écrivain, d'un peintre, d'un journaliste, d'un professeur, d'un libraire – de tout acteur culturel qui travaille une *matière* avec ses mains et son esprit –, a une place essentielle dans la société. Nous persistons dans cette voie contre tout bon sens, rêvant que ce travail concret ait aussi une dimension immatérielle. Surtout, nous essayons de sublimer notre propre expérience de la vie avec celle des autres – dans mon cas, ceux que je filme tout autant que ceux qui regardent ce que j'ai filmé.

Depuis que les arts et la culture ont commencé à prendre la place de la religion, à la fin du XVIIIe siècle, accompagnant le long processus de la démocratie et de la méritocratie, l'activité artistique a contribué à faire rêver et à faire penser – donc forcément à émanciper – toutes les couches de la société. Et la part sacrée, la foi dans la culture, a pris de l'ampleur au fil du temps ; jusqu'à ce qu'on arrive à cette époque où on se demande si la foi, le sacré et la culture elle-même ont encore la moindre valeur pour la société.

Né en 1961, j'ai grandi dans l'idée qu'une continuité culturelle me liait directement, malgré l'humilité de mon statut, à Homère, à la Bible, aux racines de ma culture. Aujourd'hui, en 2015, quand je regarde mes enfants, Capitu et Miranda, des jumelles de dix ans, et Noah, un garçon âgé de neuf ans, je me sens obligé d'envisager la possibilité que, lorsqu'ils seront devenus adultes, l'activité de leur père – le travail de sa vie comme cinéaste – semblera aussi marginale, anachronique et anecdotique que celle d'un charretier, d'un rémouleur ou d'un maréchal-ferrant.

Et tout aussi inutile pour leur avenir...

Avis au lecteur

Aujourd'hui, tous les acteurs culturels se posent la question de leur survie dans un monde qui est en train de les expulser à une vitesse et avec une efficacité inédites dans l'histoire de la civilisation. Cependant, ce livre ne s'adresse pas seulement aux artistes et aux artisans concernés mais aussi à tous ceux qui croient que la culture est essentielle à leur survie.

La situation est grave et exige des réactions urgentes. Il est possible que, dans ces pages, on trouve une voie de sortie, de survie et peut-être même, grâce aux agriculteurs qui semblent avoir déjà réagi avec vigueur, une nouvelle floraison culturelle.

Ce livre est un ovni. Fruit d'une collaboration entre un chercheur en cinéma et un cinéaste (un « trouveur » en cinéma ?), il s'appuie sur la trajectoire hautement subjective du cinéaste. Il n'a pas de prétention à l'universalité mais constitue un témoignage particulier, étayé par des recherches.

Comme tout sujet qui prend la parole, j'extrapole mon expérience personnelle (c'est moi, Jonathan Nossiter, « trouveur-troubadour en cinéma », qui écris là), même si je nourris l'espoir de la dépasser. La réflexion sera approfondie et élargie grâce à la collaboration de mon coauteur Olivier Beuvelet, enseignant au lycée et à la fac, critique de cinéma et blogueur.

Ce que nous (désormais le « je » et le « nous » dialoguent au sein d'une même écriture) vous proposons, c'est de réfléchir avec nous sur l'acte rebelle de certains paysans d'aujourd'hui, des artisans de la terre qui ont accompli une petite révolution tranquille et profondément émouvante. Cet exemple d'insurrection culturelle venue des campagnes pourrait être utile à ceux qui sont aujourd'hui les plus grands exilés : les habitants des villes. Il est possible que le mouvement du vin naturel, tel qu'il se développe depuis dix ans dans le monde entier, comme une contre-mondialisation réussie, suggère des solutions concrètes à une situation désespérante pour ceux qui *font* la culture autant que pour ceux qui ont envie de la *recevoir* comme un geste de vie et non comme un acte de consommation – la consommation culturelle étant sa propre mort.

Il va de soi que le grand exil des artistes, la guerre menée contre leur statut dans la société, est le résultat direct des désirs (conscients et inconscients) des forces de pouvoir : économiques, politiques, institutionnelles. Mais ce n'est pas la trajectoire (ni la compétence) de ce livre que d'enquêter sur la responsabilité des autres. Notre cible est plutôt de comprendre quelle est notre propre participation et ce que nous pouvons faire dans cette grande guerre non déclarée. Et par « notre », on entend ici les artistes et les acteurs culturels eux-mêmes, mais aussi leurs publics. Le monde de la culture souffre aujourd'hui d'une maladie, dont le symptôme majeur est que, souvent, les grands acteurs culturels (les artistes comme leurs proxénètes) ressemblent plus à des banquiers spéculateurs qu'à des citoyens libres.

Dans notre cheminement de l'artiste vers l'artisan, il ne s'agira pas de nier la prétention féconde, joyeuse et libre de l'artiste. Il ne sera pas question non plus de nier son désir de beauté, ni celui de provoquer de profondes émotions, ni bien sûr son souci de témoigner de son époque en contribuant au maintien des libertés publiques. Et même si nous proposons une réflexion sur un engagement plus humble et matériel que celui qui est souvent suivi dans le monde de l'art, nous ne renierons pas un seul instant le grand rêve de l'artiste. Tout artiste – comme tous ceux qui participent à la création culturelle – rêve de contribuer, en apportant sa petite pierre, à la continuité d'une civilisation qui remonte aux Grecs et au-delà. Et, rêve encore plus donquichottesque, tous souhaitent que cela continue éternellement. Ou du moins pendant cinquante ans encore. Car, même si l'avertissement d'Orson Welles tient toujours – « La seule chose qui soit plus vulgaire que travailler pour l'argent, c'est travailler pour la postérité » –, il faut aussi se rendre compte que la phrase avait un autre sens quand il était encore inimaginable que la culture elle-même risque de disparaître.

Peut-être s'agit-il d'inventer, au sens de découvrir, le chemin que pourront emprunter les artistes, encensés depuis le début du XIXe siècle et méprisés comme jamais deux siècles plus tard, pour atteindre la dignité intérieure et plastique des artisans, eux-mêmes bannis de la fête depuis longtemps. Il s'agira ici de raconter comment la renaissance de ces derniers inspire l'émergence d'une figure nouvelle dans la culture, qu'on pourrait nommer (si on se prenait plus au sérieux) l'« artisaniste ».

Dans ce monde où les acteurs culturels sont rejetés de la société de manière toujours plus violente, il est urgent de se rappeler que l'artiste a toujours été le vecteur et le reflet de la civilisation. Ses préoccupations, concrètes ou fantasmées, étaient les nôtres. L'artiste était censé nous montrer qui nous étions et, mieux, qui nous pouvions être. Depuis les peintures des cavernes d'Altamira jusqu'à la dernière installation audiovisuelle à la biennale de Venise, il cherchait les formes pour donner sens, continuité et espoir à la civilisation.

Ceci étant, aujourd'hui, pour la première fois de son histoire, les angoisses de l'homme se déplacent de l'ordre existentiel à une question plus profondément ontologique et plus simplement biologique ; la survie non pas de « sa » civilisation, mais de l'humanité, la survie de l'espèce. Il n'est peut-être pas surprenant, alors, de considérer que la place de l'artiste, celui qui est courageux et utile, se déplace des cavernes et des salles d'exposition spectaculaire aux champs. Le rôle de l'artiste est désormais repris par l'artisan-paysan, notre passé et notre avenir sont écrits, peints dans la terre.

Face aux urgences actuelles, c'est ce « paysaniste » qui est sans doute le mieux préparé pour nous « expliquer » le monde et nous défendre, donner sens, mais aussi espoir devant la catastrophe onto-écologique que, désormais, tout le monde sait – ou sent – venir. Peut-être les autres acteurs culturels s'inspireront-ils de cet engagement ?

Car, aussi improbable que cela puisse paraître devant le monstre polymorphe du complexe *financiéro-chimico-fossile* qui nous pousse vers un avenir aussi sombre que celui dont rêvaient les régimes fascistes en 1940, il faut imaginer que aux premières heures, les insurgés se sentaient probablement tout aussi donquichottesques.

1

L'expulsion du purgatoire

ou

Le nouvel ordre mondial est-il un enfer culturel ?

Un an avant son assassinat, en 1974, Pier Paolo Pasolini, cinéaste, poète, romancier, essayiste, journaliste, antifasciste – un des derniers intellectuels écoutés par toutes les strates de la société – a été invité par la RAI, la télévision italienne, à commenter une visite de la ville fasciste modèle de Sabaudia.

Sans doute les producteurs attendaient-ils une dénonciation violente de l'urbanisme fasciste, mais Pasolini était avant tout un homme libre. Libre d'abord de ses propres *a priori*. Dans le reportage qui lui a été consacré, on le suit dans les rues de cette ville balnéaire située à cent kilomètres de Rome et on l'écoute nous expliquer :

« Il n'y a rien de fasciste dans cette ville modèle. Toutes les constructions sont faites à l'échelle humaine. On est bien partout ici. »

Puis l'équipe de la RAI, étonnamment sensible à chacun de ses gestes, l'accompagne sur les dunes où le vent de février balaie ses cheveux avec une force dramatique. Pasolini se retourne alors vers la caméra et s'adresse aux spectateurs, certes, mais aussi aux artisans de la télévision de l'époque, considérés par lui, chose évidente à l'écran, comme des confrères :

« Vous voyez, les fascistes, ils ont même raté ça. À l'arrivée, ce n'était rien d'autre qu'une bande de criminels au pouvoir. Ils n'ont même pas réussi à influer sur la réalité italienne. » Et, à ce moment-là, nous avons l'impression qu'il nous scrute un par un, avec une énergie à la fois sauvage et prophétique.

« Aujourd'hui, en 1974, c'est le contraire. Le régime est un régime démocratique. Mais cette acculturation, cette homogénéisation que le régime fasciste n'a absolument pas pu obtenir, le pouvoir d'aujourd'hui, celui de la société de consommation, l'a parfaitement réussi. »

Que dirait-il, quarante ans après sa disparition, de l'état de la culture ? Y aurait-il une télévision ou un média quelconque capable de lui donner la parole devant une audience importante ? Et y a-t-il des artistes, des intellectuels qui peuvent encore prendre la parole dans un forum ou une agora, réunissant un aussi large public que celui de la télévision en 1974 ?

Que sont devenus le statut et le rôle public des acteurs de la vie culturelle ? Quels sont leurs vrais moyens de contact avec le grand public aujourd'hui ? Où vont ceux qui font vivre la culture comme affirmation d'une liberté subjective, comme critique du pouvoir, comme joyeuse et généreuse invention de formes esthétiques ? Et surtout comme garantie publique des libertés collectives, dont la liberté d'expression ?

Le rêve de tout pouvoir totalitaire a toujours été de rendre les artistes invisibles et inaudibles car ils constituent le vrai contre-pouvoir. Ils sont incontrôlables par nature (ce qui explique, par ailleurs et en partie, le statut anonyme de la plupart des artistes et artisans, au Moyen Âge, face au pouvoir de l'Église). En 1974, Pasolini avait raison de constater que notre système « consumériste » était le premier à réaliser de manière soft les fantasmes fascistes. Sans même, peut-être, avoir conscience de le faire.

Mais si le modèle de la société de consommation occidentale, fruit du plan Marshall, mûri dans les années 1960 et globalisé dans les années 1980, est parvenu à accomplir le rêve totalitaire d'éliminer les acteurs culturels de la place publique, de les réduire à un rôle décoratif, divertissant, comment pouvons-nous le comprendre et qui en serait responsable ?

En France, en octobre 2014, la ministre de la Culture, Fleur Pellerin, a calmement déclaré à la télévision, qu'elle n'avait pas lu un seul livre depuis deux ans. Le même mois, elle s'est rendue aux Rencontres cinématographiques de Dijon, rassemblement annuel de la profession, pour y faire un discours. Le critique de cinéma Jean-Michel Frodon l'analyse ainsi : « Elle a surtout dévoilé de manière explicite l'approche de son propre rôle et de celui de son ministère, selon une vision qui est d'ailleurs loin de concerner le seul cinéma, préférant systématiquement le mot "contenu" à celui d'"œuvre" ou "film". Lorsqu'elle déclare que le rôle du gouvernement est "d'aider le public à se frayer un chemin dans la multitude des offres pour accéder aux contenus qui vont être pertinents pour lui", il est possible d'entendre, presque mot après mot, l'enterrement de l'idée même de ministère de la Culture. »

Son vocabulaire technique n'est pas très éloigné du discours de présentation du ministère anglais (et très conservateur) de la Culture, des Médias et du Sport qui utilise plusieurs fois les mots « *business* » ou « *economic success* » en à peine dix lignes. On y lit que « le ministère de la Culture est là pour aider à faire de l'Angleterre le pays le plus stimulant pour s'y installer, faire du tourisme et créer des entreprises ».

La courte présentation précise même, à la fin, que le ministère « contribue à donner au Royaume-Uni un avantage unique dans la course mondiale à la réussite économique[1] ».

La culture n'est pas simplement perçue sous son angle économique ; sa vocation principale est de se mettre au service de l'économie nationale. C'est une conception décorative et « agencielle » de la culture, qui renoue étrangement avec la place qu'elle occupait au XVIIe siècle, en France, à la cour de Louis XIV.

Si l'on tient compte du fait que la France est le dernier pays qui non seulement investit sérieusement dans la culture au niveau national (2,7 milliards d'euros pour la mission culture dans le budget 2015, plus du double de l'Allemagne, par exemple) mais aussi défend activement la place de la culture dans la vie quotidienne de tous les citoyens[2], la situation est catastrophique. Et il ne faut pas se bercer d'illusions sur l'avenir de la politique culturelle en France. Si la part de la mission culture reste stable dans le budget 2015, la coupe sanglante se manifeste à travers la diminution de 11 milliards d'euros de la dotation aux

---

1. « *What we do* », présentation officielle du département de la Culture, des Médias et du Sport sur le site du gouvernement anglais : https://www.gov.uk/government/organisations/department-for-culture-media-sport.

2. La mission culture, dans le budget de la France en 2013, était de 2,6 milliards d'euros, en baisse de 3,3 % par rapport à 2012, contre 1,58 milliard de dollars (1,3 milliard d'euros) aux États-Unis et 1,2 milliard d'euros en Allemagne. Ces chiffres comparables par leur nature ne tiennent pas compte des structures particulières de financement de la culture dans ces pays. En France et en Allemagne, par exemple, les collectivités locales fournissent l'essentiel des subventions publiques à la culture (entre 7 et 8 milliards d'euros) ; aux États-Unis, les fondations privées interviennent massivement. L'indice du montant de la culture dans le budget national indique cependant le degré d'implication de l'État dans la politique culturelle, et l'on voit que, en France, malgré une légère baisse, ce degré d'implication reste élevé, d'autant que les collectivités locales ont longtemps mené des politiques de soutien aux activités culturelles.

collectivités locales. Celles-ci la répercutent déjà sur leurs propres budgets culturels. Cela affecte et affectera gravement le soutien public à de nombreux organismes et acteurs culturels régionaux, départementaux et municipaux qui sont tout simplement en train de disparaître.

Fleur Pellerin reconnaît elle-même, dans le journal *Libération* du 13 décembre 2014, que la création artistique est menacée. (Elle peut ignorer des titres de roman, mais pas des chiffres !) Mais le monstre-malade imaginaire de la dette et sa cure vaudouiste d'austérité justifieraient tout. Réunis au théâtre de la Colline le 10 décembre 2014, plus de cinq cents artistes ont interpellé la ministre de la Culture[1] : « Devant l'urgence et la gravité de la situation, nous lançons un appel solennel aux maires, aux conseillers généraux et régionaux, aux députés, aux sénateurs, au gouvernement, aux spectateurs, aux citoyens, pour engager ensemble une nouvelle ère d'espoir et de confiance dans l'art et dans la culture. » Mais les restrictions des financements locaux ne se sont pas fait attendre. La mairie écologiste de Grenoble[2] a décidé de diminuer son budget culturel de 20 % et donc de supprimer la totalité des 438 000 euros de subvention aux Musiciens du Louvre de Marc Minkowski, qui participent pourtant au rayonnement de la ville. « Nos anciens amis sont devenus nos ennemis », s'est indigné Jean-Paul Angot, directeur de la MC2, la scène nationale de Grenoble.

On peut aussi voir comme une innovation funeste l'attaque de l'ex-maire verte de Montreuil, Dominique Voynet, contre

---

1. À l'appel du Syndeac, Syndicat national des entreprises artistiques et culturelles.

2. Emmanuelle Bouchez, « Les artistes lancent l'appel du 10 décembre, un coup de gueule contre l'effritement culturel », Telerama.fr, 11 décembre 2014 (http://www.telerama.fr/scenes/l-appel-du-10-decembre-le-coup-de-gueule-des-artistes-contre-l-effritement-culturel,120444.php).

le cinéma municipal d'art et d'essai Le Méliès et son directeur Stéphane Goudet, temple et gardien de la culture cinématographique parmi les plus importants en France. L'histoire est tristement emblématique. En 2007, Goudet et son Méliès sont attaqués en justice par MK2 et UGC pour « concurrence déloyale » et « abus de position dominante », à cause d'un projet d'agrandissement du cinéma municipal de trois à six salles, expansion effrayante pour les groupes de multiplexes qui drainent (mais sans subventions, les pauvres !) la grande majorité des spectateurs d'Île-de-France. L'attaque crée un choc. Le projet sera « sauvé » une première fois par les protestations de cent quatre-vingts cinéastes reconnus du monde entier, fidèles au Méliès et à Goudet. Mais la programmation à la fois audacieuse et populaire du Méliès, qui attire un large public et joue pleinement son rôle culturel, bouscule les catégories, et pas seulement celles des industriels. Le Mélies et Goudet subissent, en 2009, une seconde attaque orchestrée, cette fois par la maire verte fraîchement élue, Dominique Voynet. Stéphane Goudet en parle ainsi : « Le projet était inutile à ses yeux, car le privé pouvait "faire mieux" et "moins élitiste" que le public dans ce domaine du "commerce" cinématographique. Le projet était inacceptable pour elle, enfin, puisque porté à la fois par son prédécesseur, et par un directeur artistique [Stéphane Goudet] jugé trop indépendant et trop médiatisé pour un simple agent municipal, fût-il par ailleurs universitaire. »

Ne pouvant annuler le projet, elle s'est attaquée à l'équipe. On peut légitimement se demander ce qui a poussé une maire écologiste, censée défendre les intérêts publics et la biodiversité, à prendre le relais des grands groupes de multiplexes dans la destruction d'une œuvre culturelle, populaire, exigeante, et internationalement soutenue... mais non conforme, par son succès, à la répartition habituelle des parts de marché entre privé et public.

En tout cas, après avoir été accusés de choses aussi rocambolesques qu'avoir entretenu une caisse noire ou avoir fourni de la drogue à des réalisateurs (pas forcément une mauvaise idée… ?), après avoir fait la plus longue grève de l'histoire de la distribution cinématographique française, après avoir été licenciés, après avoir créé des « Méliès éphémères » dans d'autres salles amies, avec le public et les cinéastes – tous restés fidèles –, après avoir contre-attaqué en justice, Goudet et son équipe ont fini par gagner leur bras de fer et être réintégrés quand Voynet a quitté la mairie suite aux dernières élections municipales. Elle attend aujourd'hui sa comparution au tribunal pour diffamation, prévue à l'automne 2015, alors que le nouveau Méliès ouvre enfin ses portes.

L'histoire s'est bien terminée, mais il est glaçant de constater que des Verts aux commandes de certaines villes puissent dissocier aussi facilement l'écologie environnementale de l'écologie de la culture. À quoi bon défendre l'une sans considérer l'autre ?

Mea culpa

Cependant, si la culture est devenue un accessoire secondaire dans l'esprit des dirigeants politiques, c'est aussi parce qu'elle s'est mise dans la situation de l'être. Si les revendications des artistes, formulées par leur syndicat, semblent être sectorielles, limitées, et si peu liées aux autres secteurs de la culture comme la recherche et l'éducation, c'est aussi que la dimension politique de leur rôle ne leur paraît pas prioritaire. Ainsi, nous aurions tort de croire que les gouvernements ou les systèmes de pouvoir sont les seuls responsables du rejet de la culture (comme espace de liberté) et du bannissement des artistes de la tribune publique qu'ils occupaient jusqu'aux années 1970. Il faut oser se poser la question : à quel point les artistes ont-ils collaboré à leur propre exil ? Combien d'acteurs culturels aujourd'hui exercent encore pleinement leur rôle de contre-pouvoir, mettant *vraiment* en question le système culturel, politique et économique ?

Ne serions-nous pas largement et lâchement complices de l'effacement de notre raison d'être ? Nous, les cinéastes, les écrivains, les journalistes, les éditeurs, les distributeurs, les enseignants, les plasticiens, les musiciens, les libraires, les bibliothécaires... et vous, cher (pauvre) lecteur de ce livre ?

Par peur, avons-nous abdiqué nous aussi notre principale contribution au bien public ? Si l'on déplore l'érosion lente du nombre de lecteurs de livres[1] et la chute vertigineuse, un peu partout dans le monde, des grands journaux quotidiens ; si la part des spectateurs de films indépendants diminue alors que le « public » des blockbusters augmente, si l'effondrement de l'industrie du disque compact et du DVD est universel, si personne ne paie plus pour obtenir un film ou une chanson sur son *i-(m)Monde* c'est que, sans doute, les protagonistes/victimes de cette débâcle sont également responsables.

Au fond, le jugement prononcé par Pasolini relève d'une vision plus proche de celle d'Aldous Huxley dans *Le Meilleur des mondes*, datant de 1931, que de celle de George Orwell dans *1984*, écrit en 1947. Nous ne sommes pas victimes de Big Brother. Nous sommes tous complices. Nous mangeons volontairement du « soma », le comprimé d'Huxley qui nous soulage de tout et qui nous fait tout oublier. Y compris notre besoin – notre devoir – de liberté.

---

1. Le chiffre d'affaires du secteur de l'édition est passé sous la barre des 4 milliards d'euros en France en 2013. Deux grandes tendances se dégagent : le temps de lecture moyen diminue, passant de 5 h 48 par semaine en 2011 à 5 h 20 en 2013. Par ailleurs, ce sont les best-sellers, tel *Cinquante nuances de Grey*, qui sauvent le chiffre d'affaires global du secteur, comme dans le cinéma.

Mais, à part de grands lucides désespérés comme Pasolini ou le situationniste Guy Debord, qui nous l'a dit ?

Thomas Piketty, Paul Krugman et d'autres économistes, en désaccord technique et moral avec les principes économiques dominants, soutiennent que l'inégalité croissante des dernières décennies menace le mécanisme général de l'ascension sociale et surtout la démocratie elle-même. Mais il faut aussi se rendre compte que l'abîme croissant entre riches et pauvres entraîne l'appauvrissement progressif de la classe moyenne et fragilise directement les artistes et tous les acteurs culturels. Ils sont la classe moyenne par excellence ; leur place dans les grandes démocraties est liée à l'avènement et à l'essor de la classe moyenne et, souvent, ils en sont issus (ou y entrent), la constituent comme professeurs, intermittents du spectacle, artistes, écrivains, journalistes. Elle est la première bénéficiaire d'une vie culturelle riche et foisonnante et les sorts respectifs des acteurs culturels et de la classe moyenne sont intimement liés. Leur affaiblissement simultané déstabilise encore plus la démocratie et la capacité des plus pauvres à améliorer leurs conditions de vie.

Le destin de la FNAC est emblématique de cette trajectoire en forme d'ogive. En 1954, c'était la Fédération nationale d'achat des cadres, une entreprise coopérative créée par un ancien trotskiste, Max Théret[1], dans le but de vendre la culture moins cher et d'améliorer ainsi le sort des travailleurs des Trente Glorieuses, en pleine ascension sociale. D'abord vouée à des achats groupés et à la vente de matériel photographique, en plein essor démocratique, elle

1. Ex-garde du corps de Trotski, ex-combattant de la guerre d'Espagne et ex-résistant, en 1988, Théret sera un des neuf « initiés » de l'affaire Péchiney, signe avant-coureur peut-être de la dérive boursière future de la FNAC.

s'est ouverte à tous les biens culturels. 80 % de sa clientèle étaient des cadres.

La FNAC s'est donc développée au fur et à mesure que la classe moyenne se renforçait et s'étendait. Son destin de premier diffuseur des industries culturelles épouse de près celui de la classe moyenne à qui elle a longtemps fourni un imaginaire culturel commun. Mais comme cette dernière aujourd'hui, elle connaît un déclin depuis une trentaine d'années. Son parcours est emblématique des espoirs et des désillusions du mouvement d'élargissement culturel qu'elle a accompagné. Vendue en 1985 à une mutuelle de fonctionnaires (GMF), encore en lien avec l'idée coopérative, elle a été engloutie par la Générale des eaux en 1993, qui la cédera l'année suivante à François Pinault, grand collectionneur-spéculateur de Jeff Koons. Il ne pourra qu'accompagner son déclin économique progressif, à partir des années 2000, devant la mutation culturelle du numérique, et son fils la distribuera généreusement sous forme d'actions offertes aux actionnaires de son nouveau groupe Kering, en juin 2013.

Aujourd'hui, alors que la réalité de la vie culturelle est indéniablement catastrophique pour la plupart de ses acteurs, ces effets dramatiques se renforcent. Il y a dans tous les pays « riches » une quantité industrielle de journalistes expérimentés et reconnus qui découvrent le chômage, d'écrivains obligés de tranformer l'écriture en hobby, de cinéastes qui réalisent des films pour des publics chaque année plus réduits (avec toujours des exceptions que la presse survivante, soumise et « soma-isée », adore encenser), eux-mêmes contemplant leur avenir de cinéastes amateurs comme le seul possible. Ceux qui restent dans les journaux, dans le cinéma, dans la musique, dans l'édition, peuvent se sentir les vainqueurs d'une sélection darwinienne, ô combien illusoire, car pour combien de temps ? Parce que, à l'image des mécanismes interdépendants des écosystèmes dans la nature, nul artiste ne peut survivre seul (malgré un ego qui, souvent, peut l'amener à le croire…).

Combien reste-t-il d'artistes à la fois populaires, exigeants et sans concession envers leur propre rôle politique, sans complaisance vis-à-vis de leur image, continuant inlassablement de dire à un public large ce qu'ils ont à dire, librement et sans tenir compte des pressions ? Une poignée peut-être. Mais savons-nous où les trouver dans le nouveau paysage d'Internet, à la topographie marquée par une infinité de trous noirs et par la fragmentation numérique de la *Res Publica* ?

Combien d'écrivains, de photographes, de journalistes, de comédiens, de peintres, d'éditeurs, de cinéastes ont-ils fait une croix sur leur exercice du contre-pouvoir, se contentant de façonner des produits ou renonçant même à exercer leur métier ?

Devenus inaudibles, souvent utilisés comme des « valeurs » dans le jeu des industries ou des politiques culturelles, ils sont expulsés du cœur de leur métier. La cité n'aurait plus besoin d'eux, la cité ne voudrait plus les voir ni les écouter. La cité n'attendrait d'eux que du divertissement, du dépaysement, de la distraction. Ou, encore plus délicat, voire dangereux, du soulagement.

Or la cité, plus que jamais, a besoin d'artistes, de journalistes, de chercheurs et de professeurs libres, contestataires, d'éditeurs rebelles, de cinéastes et d'écrivains engagés. Petits ou grands, ils réinventent le monde, tentent de l'améliorer, renouvellent les émotions partagées, organisent la circulation et la compréhension des mots, des images, des harmonies, de tout ce qui donne à la vie sociale et économique son contrechamp d'humanité. Cette vie culturelle, même en France, sans doute le pays au monde où la culture a le plus été défendue, est en train de mourir pour des raisons économiques, idéologiques et morales.

Il n'y a pas de vie démocratique sans la dimension spirituelle, fraternelle, émancipatrice qu'apporte une vie culturelle le plus libre et foisonnante possible. Or l'industrie culturelle, désemparée devant l'avènement des supports numériques et la dématérialisation des œuvres, repliée sur ses enjeux financiers, avec sa logique de rente et sa peur du risque, a progressivement avalé ses marges les plus créatives. Elle se cannibalise. Sa quête du toujours plus, son goût de l'imitation, son conformisme devenu naturel, son légitimisme utile ont fini par avoir raison de l'imagination et de la liberté qu'elle avait apprivoisées et gardées sous son aile, plus ou moins protectrice, depuis les années 1950. Il subsiste quelques poches où survivent des artistes encore indépendants, mais le paysage de la culture tel qu'on l'a connu jusqu'à hier risque de n'être plus qu'un souvenir dans quelques années.

S'il restera toujours des blockbusters et de gros tirages pour faire illusion dans les statistiques, c'est la biodiversité de la culture qui est directement atteinte. Ici comme dans nos campagnes, la monoculture est le seul horizon des approches purement financières.

La société du spectacle de Debord, devenue depuis longtemps la société du spectaculaire, s'estompe logiquement dans l'ego-réification, le self-branding, le spectacoloselfisme. Elle trouve son apothéose dans le phénomène contemporain des visiteurs de musées de par le monde qui passent leur temps à faire des selfies devant les œuvres, elles-mêmes à peine visibles au coin du cadre.

L'artiste exigeant et populaire, sujet libre et personnage public, comme Pasolini pouvait l'être devant les caméras fraternelles de la RAI, est expulsé, après beaucoup d'autres. Sa statue, peut-être trop vénérée, s'est brisée en deux figures antinomiques ; le Grand Artiste designer et le militant obscur. Le premier ne dit plus rien, capitalise sur son style devenu une « signature », c'est-à-dire une marque ; le second prêche devant quatre fidèles convaincus (vous, les quatre lecteurs de ce livre, par exemple)...

Ce qui est sûr, c'est qu'aujourd'hui nous peinons tous à gagner notre vie. Un cinéaste dont le film se vendait, par exemple, dans vingt pays, à un prix moyen de 30 000 euros (il percevait peut-être 15 à 20 % de ce chiffre) il y a quelques années, pourrait attendre aujourd'hui que le même film soit vendu dans cinq pays à 10 000 euros. Ce qui représenterait au final 10 000 euros pour trois à quatre ans de travail (au-delà du salaire perçu au moment du tournage, également amputé). Un musicien peu connu mais professionnellement reconnu et ayant « réussi », qui aurait gagné 30 000 euros par an en concerts et autant en enregistrements, il y a dix ans, sera aujourd'hui considéré comme chanceux s'il atteint 15 000 euros en cumulant les deux activités. Comment vivre et travailler avec ça ? Ce n'est possible que si faire de la musique ou faire des films est pris comme un hobby. Dans des pays comme la France, il existera encore pendant quelques années des musiciens et des cinéastes entre quarante-cinq et soixante-dix ans, qui toucheront des royalties et des droits d'auteur de la « belle » époque et qui pourront survivre. Mais à l'avenir, à part les stars et les auteurs de quelques succès commerciaux exceptionnels, personne, dans les nouvelles générations, ne pourra faire profession de son métier. Il est possible que, à l'avenir, de nouveaux modèles économiques se présentent sur Internet. Mais pour l'instant, rien n'augure l'émergence d'une vraie culture vivante, qui offrirait à toute une communauté de musiciens ou de réalisateurs la possibilité de vivre, même modestement, de leur travail.

La situation pour les journalistes, les éditeurs, les écrivains et tous les autres acteurs de la scène culturelle n'est guère meilleure. Et il faut bien le dire, malgré ses bienfaits, parfois réels, Internet a aussi noyé la production artistique dans un tsunami de propositions sans repères, sans valeur, sans cadre et sans matière.

Avec l'arrivée de Napster en 1999, les musiciens les plus fragiles ont commencé à mourir. Seules les grosses machines, soutenues par les grands groupes, s'en sont sorties. Là encore, la biodiversité est mise à mal. On peut bien rêver d'une utopie où la culture serait gratuite, mais s'il n'a pas de moyens de gagner sa vie avec dignité, l'artisan-artiste mourra. À sa place, on ne peut voir (ré)apparaître qu'un « hobbyiste », un amateur éclairé, comme les hommes de lettres, souvent aristocrates, du XVIIe siècle. C'était avant que n'arrivent l'écrivain et l'artiste académique, qui feront profession de leur art et en vivront, malgré (et avec) les libraires et les marchands.

Le cinéma prend le même chemin. À côté du « cinéaste » qui consacre sa vie et son travail à son activité, on a déjà des centaines de millions de « filmeurs-youtubeurs » de par le monde. Aujourd'hui, quand quelqu'un prend son smartphone et se filme ou filme la rue, il croit souvent faire un travail de cinéaste. Mais, en réalité, il réduit la singularité (et la sacralité) de l'acte de filmer (avec ses aspects positifs et négatifs). Les images sont absorbées dans le flux visuel qui noie les regards dans des larmes de rire ou de désespoir.

Pour ceux qui se réjouissent que Wikipédia ait pris la place des encyclopédies, c'est forcément un progrès démocratique. Mais on peut aussi craindre que la déspécialisation des savoirs ne menace leur qualité, leur rigueur et leur pertinence. Tous les contributeurs bénévoles des encyclopédies en ligne ne sont pas de généreux experts. Certains le sont, d'autres croient l'être. Certains sujets ne sont pas traités, d'autres le sont trop précisément ou mal. L'absence d'éditeur-chef d'orchestre provoque une forme de cacophonie dangereusement populiste : une démocratie travestie à l'image de l'époque.

2

Une ciné-fable personnelle

Pour donner du sens à la discussion sur le rôle de l'artiste – et avant de le considérer par rapport au vigneron –, il me semble essentiel de raconter, à titre personnel, comment je suis arrivé, moi Jonathan, à ma conception du rôle de cinéaste.

J'ai découvert le cinéma tardivement, à l'âge de dix-huit ans, après avoir passé une enfance surtout en Europe, mais aussi en Asie et aux États-Unis, me déplaçant avec mes trois frères et ma mère au gré des affectations de mon père journaliste, correspondant du *Washington Post* puis du *New York Times.*

La culture de ma famille était plutôt une culture du livre, de la musique, de la peinture. Le seul cinéma que je fréquentais, comme beaucoup d'adolescents, était le cinéma commercial. Un cinéma que je regardais d'ailleurs sans grand enthousiasme. Après le lycée, animé par des rêves de peintre, j'ai passé un an à l'institut d'art de San Francisco puis six mois aux Beaux-Arts à Paris. Quand mon manque de talent est devenu trop évident, je me suis inscrit à l'université de Dartmouth College, aux États-Unis, pour y étudier le grec ancien. Une discipline déjà peu à la mode en 1980 ; dans beaucoup de cours nous n'étions que deux ou trois étudiants.

Mais j'atteignais les sommets joyeux du « démodé » dans un cours de deuxième année sur Homère, où j'avais deux professeurs pour moi tout seul.

Ce n'est pas un hasard si je reste très proche d'un de ces deux professeurs, Edward Bradley, dont l'immense passion pour Homère est liée à sa cinéphilie. Il réussissait à transmettre l'urgence, la tactilité et la force audiovisuelle du grec ancien, surtout dans son approche du vers homérique. Mais ce protestant converti au catholicisme, profondément francophile, truffait son enseignement de références aux grands films humanistes : ceux de Renoir, De Sica, Bresson, Rossellini, Kurosawa... Pour moi, le grec ancien était d'emblée enraciné dans le cinéma. L'inverse étant aussi vrai : sans cet enseignement, je ne pense pas que je serais devenu réalisateur.

Cependant, le moment déterminant – l'allumage des projecteurs hollywoodiens (!) sur le chemin de Damas – fut très précis. À mon arrivée à Dartmouth, perdu dans les bois du New Hampshire, à trois heures de la première ville, alors que je vivais dans les États-Unis profonds pour la première fois de ma vie, je me suis senti vraiment isolé et déraciné. J'avais une grande nostalgie de l'Italie qui est, avec la France, un de mes deux pays d'origine culturelle (puisque ma prime enfance et les moments clefs de mon adolescence se sont déroulés dans ces deux pays). J'ai donc voulu suivre un cours de littérature italienne, et peu importait lequel. Le seul cours où je pouvais entendre parler italien était – je trouvais cela bizarre – un cours qui portait sur le cinéma italien contemporain. « Contemporain », en 1980, ça voulait dire Fellini, Pasolini, Wertmüller, Scola, Monicelli, *inter alia*. Ces noms m'étaient plutôt étrangers à l'époque et le cinéma ne me semblait guère digne d'un enseignement dans une des plus vénérables universités américaines.

Sceptique, je me suis néanmoins inscrit. Le lendemain, je me retrouvais dans la salle de projection devant une copie 35 mm de *Huit et demi* de Fellini. Au bout de trois minutes, je voulais quitter la salle. N'ayant jamais vu une telle chose, je trouvais la suite d'images baroques, en noir et blanc, d'une prétention et d'un non-sens absolus. Par obligation, j'ai tenu jusqu'à la fin, mais avec un sentiment croissant de rage. En quittant la salle, j'étais convaincu d'avoir assisté à un acte frauduleux, à une esbroufe intellectuelle. Mais n'ayant pas encore fait mes armes critiques pour « attaquer » un film, je me suis rendu compte qu'il me fallait le revoir au moins une fois si je voulais me défendre. À l'époque, le seul moyen de revoir des films était de demander une seconde et laborieuse projection en 35 mm.

À la fin de la journée, je suis allé trouver le projectionniste, un cinéphile post-hippie. Lui, qui avait trouvé le film génial, était d'accord pour rester à la fin de sa journée de travail, à minuit, par pur désir d'échange, pour me repasser *Huit et demi*. Au bout de trois minutes, à l'endroit du film qui avait déclenché ma rage le matin même, un genre de miracle s'est produit en moi. J'ai senti venir des larmes. J'avais l'impression d'être devant une force envoûtante qui contenait tout ce que j'aimais dans la peinture, dans la littérature, dans la musique. C'était la sublimation de tous les arts. Moi qui n'avais aucune culture cinématographique, aucune capacité théorique à comprendre ce que je voyais, je l'ai senti de manière inculte, sauvage, animale. J'ai vu la moitié du film debout, seul dans la salle, entre minuit et trois heures du matin. Personne ne pouvait m'empêcher de bouger, de marcher, de vivre le film *kinétiquement*.

J'ai perdu ma virginité avec ce film et je lui reste fidèle non par nostalgie (ou culte de la virginité) mais parce que je pense que c'est le film – encore plus que *Citizen Kane* – qui a réussi à incarner toute l'histoire du cinéma. J'ai compris, plus tard, que ce film, qui date de 1963, cite, transforme, interprète, tous les gestes du cinéma américain comme ceux du cinéma européen qui le précédaient. Jamais comme un simple hommage mais plutôt comme un acte d'amour omnivore. À l'inverse des œuvres postmodernistes truffées de citations (dont Godard est l'habile précurseur) qui souvent ne dépassent pas le stade de *name-dropping*, ce film est la définition même d'un palimpseste filmique : construit par des couches successives de destruction et de reconstruction de son passé, qui gardent la mémoire vitale des traces anciennes.

Huit et demi est un film qui contient non seulement les autres arts, mais aussi toute l'histoire de sa propre tradition artistique. Il m'a permis d'appréhender l'histoire du cinéma, que je filtrerais ensuite à travers mes diverses expériences du film. Comme les dernières toiles de Cézanne, il englobe, incarne, aime tout ce qui a précédé et anticipe tout ce qui va suivre. Dans sa déconstruction narrative, dans son passage indifférencié entre rêve et réalité à l'intérieur d'un seul mouvement, dans son ironie moqueuse envers la société du spectacle, dans sa confrontation au narcissisme, *Huit et demi* a anticipé les effets de rupture de montage de la Nouvelle Vague, les gestes sciemment ironiques du cinéma italien des années 1970, le cinéma expérimental américain de Stan Brakhage et le cinéma poético-onirique de Tarkovski.

Il se place également dans la tradition homérique de l'*ekphrasis*, une des clefs de la transmission culturelle des images à travers l'histoire. L'*ekphrasis*, la description verbale d'un objet artistique dans un récit, peut être considérée comme une digression, mais il s'agit souvent d'une manière originale et amoureuse d'éviter l'effet banalisant d'une narration linéaire (et c'est aussi le témoignage incantatoire de la sacralité de l'art). Dans l'*Iliade* d'Homère, on peut trouver la première *ekphrasis*, un long passage qui décrit en détail les motifs sculptés sur le bouclier d'Achille, fabriqué par le dieu des artisans, Héphaïstos.

L'auditeur (à son époque) et le lecteur (plus tard) sont invités à un moment de réflexion sur la puissance de la création verbale à laquelle ils assistent, transformant ainsi le récit de parole en acte, de passif en actif, la plus puissante interactivité.

Huit et demi raconte l'histoire d'un réalisateur en crise car très attendu. Trop attendu. C'est un film éminemment personnel d'un Fellini qui venait de recevoir la Palme d'or et de connaître une gloire internationale et mondaine, en 1960, pour *La Dolce Vita* (après avoir déjà remporté deux oscars). Il est impossible que *Huit et demi*, fait l'année suivante, ne soit pas une méditation sur sa façon de digérer *La Dolce Vita.* Depuis le début de sa carrière de réalisateur (*Luci del varietà*, en 1950), Fellini avait flirté avec le néoréalisme sans jamais tomber dedans. Il avait su employer l'esthétique néoréaliste pour accéder à sa propre liberté, mais il n'avait jamais été complètement solidaire des principes du théoricien du néoréalisme, Cesare Zavattini (l'André Bazin italien). Cela lui avait été reproché par les idéologues (communistes compris), mais, pour Fellini, rester proche de l'être humain était toujours plus important que coller à l'idéologie. *La Dolce Vita*, son premier film moderniste et sa rupture définitive avec le néoréalisme, raconte le vide spirituel et intellectuel d'une époque qu'il voyait arriver.

La dénonciation de Pasolini, en 1974 (évoquée en ouverture de cette réflexion), porte et remonte jusqu'au début des années 1960. Pasolini insistait sur le fait que la transformation la plus importante de l'Italie à cette époque était le passage d'un monde détruit par la guerre mais resté profondément paysan – un monde paysan qui a toujours influencé la vie culturelle urbaine – à une société qui avait perdu tout lien avec la campagne, qui avait déchiré son tissu paysan initial. Et ce monde, coupé de ses racines, était devenu la société de consommation que Pasolini dénonçait devant les caméras de la RAI. Fellini, comme artiste prophétique, avait déjà bien compris cette angoisse, ce vide existentiel que ce nouveau monde apportait et il l'avait exprimé dans *La Dolce Vita*, quatorze ans auparavant. Mais cela a donné son film le moins proche de l'humain, le moins intime et le moins drôle. Et bien que ce soit sans doute un film d'une grande virtuosité et d'une grande originalité, il laisse une impression de vide. Pour un humaniste comme Fellini, ça devait relever d'un geste trop esthétisant, comme s'il doutait de sa bonne foi. Dans *Huit et demi* juste après, ce n'est sans doute pas un hasard s'il raconte le traumatisme d'un réalisateur qui sait très bien qu'il est à la limite de l'esbroufe et du mensonge personnel et public.

Aujourd'hui, trente ans après mon premier contact avec un film que j'ai sans doute revu vingt fois (toujours avec autant de plaisir), je vois ma première réaction comme celle d'un inculte traumatisé de se retrouver devant un objet qui remettait en question tous ses *a priori*. Fellini a réussi à transmettre ce qu'il vivait : la peur d'être complice de l'esbroufe. Mais mon second regard sur le film m'a amené à comprendre que celui qui n'a pas peur d'être dans l'esbroufe est sans doute le premier des esbroufeurs. La seule garantie contre la mauvaise foi, c'est d'avoir en permanence peur d'être de mauvaise foi, qualité que je reconnais depuis chez nombre de mes collègues cinéastes.

On peut reprocher aux films felliniens des années 1950 de basculer parfois dans le sentimentalisme et le misérabilisme, comme *La Strada* (1954) ou *Les Nuits de Cabiria* (1957), sublimes mais proches d'une forme de manipulation « hollywoodienne » des sentiments (et ce n'est pas par hasard si ces deux films ont remporté un oscar). En revanche, dans *Huit et demi*, il opère une rupture radicale avec les mécanismes cinématographiques de la manipulation affective du spectateur. En même temps, on est loin de l'expérimentation purement intellectuelle qui marque souvent les films de la Nouvelle

Vague. *Huit et demi* est un film plein d'émotion, mais d'une émotion déplacée, sublimée et ironisée. À l'inverse de *La Dolce Vita,* dominée par un ton solennel, peu ludique, dans *Huit et demi*, Fellini est libre, décomplexé, radicalement tendre *et* cruel avec lui-même et avec toutes les attentes du spectateur. Même quand on ne comprend pas, on n'est jamais exclu. Je pense que, après 1961, aucun cinéaste ayant fait un film où apparaissait le moindre geste novateur n'a pas sucé quelques gouttes du téton inépuisable (ample et fellinien !) de *Huit et demi.*

L'ami Wim

Mais à l'université j'ai surtout rencontré quelqu'un que je vois comme le symbole de ma génération, de cette époque-là jusqu'à aujourd'hui. Au ciné-club de Dartmouth, j'ai découvert Wim Wenders. Lorsque j'ai vu *Au fil du temps*, *Alice dans les villes* et surtout *L'Ami américain*, j'ai eu l'impression de voir l'œuvre d'un chaman de mon époque. Ce dont je ne me rendais pas compte alors (en bon postado), c'est que c'était un chaman d'une époque en postadolescence perpétuelle.

Je me souviens d'avoir eu des débats assez violents avec un vieux professeur de cinéma, Maury Rapf, ancien scénariste blacklisté sous McCarthy et fils d'un des fondateurs de Hollywood. Rapf devenait hystérique lorsque nous abordions le sujet de Wim Wenders. Pour lui, c'était une arnaque ; un homme qui remplissait ses films de gestes esthétiques vides. J'étais persuadé qu'il était un vieux qui n'avait rien compris et que le monde du cinéma moderne l'avait dépassé. Aujourd'hui, plus proche de ce statut (de vieux con), je lui donne complètement raison.

Wenders incarnait déjà la rébellion chic, la rébellion prédigérée pour jeunes bourgeois des Trente Glorieuses. Une rébellion sans risque, sans danger, à l'image de l'époque. Pour nous, les enfants de ceux qui avaient vécu la Seconde Guerre mondiale, marqués par les enjeux moraux qu'avaient affrontés nos pères, mais sans devoir les affronter nous-mêmes, c'était très confortable d'adopter Wenders. Il est devenu un de mes objets fétiches, à côté de Fellini et de Pasolini. Trente ans après, les Italiens le restent.

En 1984, après l'université, je suis allé vivre à New York. Obsédé par le désir de réaliser des films, je sentais néanmoins le besoin de passer quelques années dans le théâtre afin de me rapprocher du travail intime des comédiens. Je savais que, sur un plateau de tournage, la distance entre les acteurs et tous ceux qui interviennent autour serait, sinon, infranchissable.

Quelques mois après mon arrivée, alors que je travaillais comme assistant metteur en scène sur une production off-off-Broadway du *Conte d'hiver* de Shakespeare, suite à ma mise en scène (absurde) de ma propre traduction (douteuse) du *Prométhée* d'Eschyle, encore plus off-off-off-Broadway, j'ai appris qu'une avant-première du dernier opus de mon héros Wenders était donnée dans le cadre du New York Film Festival. Grâce à une amie qui travaillait pour le festival, j'ai pu avoir un billet pour la projection sacrée de *Paris, Texas*, sachant que Wenders lui-même serait présent.

Comme les autres fidèles, j'ai d'abord été ébloui par la photographie de Robby Müller, exaltant la sensibilité poétique d'une pellicule encore chromatiquement très riche, même si la quantité des couchers de soleil sur l'Ouest américain me semblait convenue, presque publicitaire. Aujourd'hui, quand je repasse ces images dans ma tête, je vois clairement apparaître le côté kitsch d'un Caspar David Friedrich et des romantiques allemands. À l'époque, assis dans la salle, je n'avais pas repéré ce rapprochement possible avec la tradition allemande, mais je me souviens que j'avais l'impression grandissante d'être devant un univers pseudo-romantique, factice. Et il me semble désormais encore moins convaincant que celui de Friedrich, lui-même déjà à la limite d'une esthétisation sentimentale suspecte.

Au fil de la projection du (très long) film, je me suis senti de plus en plus escroqué par une vision volontairement – dangereusement – enfantine des États-Unis. Je n'irai pas jusqu'à dire que cela faisait partie de la longue et douloureuse tradition de l'art officiel germanique, avec son sentimentalisme idéaliste qui porte en lui une histoire d'une grande violence, mais dans cette vision « romantisante » et wagnérienne des États-Unis, son regard narcissique transformait la vie intime des autres, d'un *autre* peuple, à son profit. Il la mettait purement et simplement au service de la manifestation de sa sensibilité. Cette fausse altérité n'avait pour raison d'être que de montrer son faux intérêt pour les autres, c'était en réalité de l'idolâtrie envers son propre regard. Son style éclipsait complètement le prétendu sujet, sans instaurer un dépassement. La transcendance qui aurait pu justifier un tel acte narcissique, comme chez Ophüls, Bresson, Welles ou Kubrick, était absente.

Plus le film progressait, plus j'étais dans un état de confusion. Comment ce grand maître pouvait-il faire quelque chose d'aussi toc ? Et quand sont arrivés les grands monologues de Nastassja Kinski, écrits par Sam Shepard, je suis resté bouche bée. Était-ce un acte dadaïste, une célébration de non-sens qui se voulait poétique ? Il semblait que Wenders, l'Européen préoccupé par le sérieux de son propre regard, avait peu saisi l'ironie cynique de Shepard, spécialiste du clin d'œil au « vide spirituel américain ».

En tout cas, dans le débat qui a suivi le film, je ne pense pas avoir été le seul Américain troublé par Wenders au moment où il nous racontait son adoration du texte de Shepard. Il se vantait de l'idée géniale qu'il avait eue de filmer intégralement ces monologues de dix minutes, sans jamais couper les longues pages de fax reçues sur le plateau de l'auteur fétiche des jeunes hipsters américains.

Il ne s'agit pas ici de condamner Wim Wenders (et surtout pas Shepard qui me semble être un provocateur intéressant) mais de raconter l'importance du regard qu'un artiste peut porter sur les autres durant sa formation. Car l'appartenance à une tradition culturelle, qui est l'essence même de la culture et de la transmission artistique, contient le refus et le reniement aussi bien que la revendication de la filiation. Le légendaire critique littéraire américain Harold Bloom a écrit longuement sur le rôle fécond de *The Anxiety of Influence* (*L'Angoisse de l'influence*), titre de son livre principal dans lequel il évoque le poids du passé dans la formation de chaque nouvelle génération d'artistes.

Mais le soir de la première de *Paris, Texas*, je n'étais pas seulement désarçonné par le sentiment de déception devant le travail de quelqu'un que j'admirais. Cela me semblait une question de vie ou de mort d'aimer ou de ne pas aimer un film.

Aller au cinéma, aller voir le nouveau film de Wim Wenders, c'était se rendre à l'église le dimanche. Et dans une église, on est toujours libre de dire : « Le prêtre sonne faux, le sermon est mal mené… ou peut-être que cette église n'exprime plus ma foi. » La cinéphilie est un acte d'appartenance spirituelle, culturelle, historique. Mais la foi existe tant qu'existe la liberté de parole, comme garantie d'une indépendance infinie pour le spectateur. Certains spectateurs autour de moi gobaient *Paris, Texas* comme s'ils recevaient l'hostie. Moi, je n'y arrivais pas. Mais je défendrais toujours autant leur droit d'y croire que le mien de ne pas y croire.

Je ne fais que transmettre des constats ancrés en moi et non pas des certitudes. Ceci étant dit, il n'y a rien de plus dangereux aujourd'hui que le politiquement correct ; cette fausse expression de la démocratie qui amène à la suspension du jugement critique. Combien de fois entend-on maintenant : « Il ne faut pas juger. » Or dès que l'on renonce à juger par soi-même, on se soumet au pouvoir de ceux qui le font à notre place. Exercer un jugement critique est la base commune de l'activité culturelle et de la démocratie.

Le rôle social de la culture est d'établir un lieu, réel ou imaginaire, qui permet aux citoyens d'exercer leur jugement, régulièrement et librement, et surtout leur jugement de goût. Avoir la liberté de dire ce que l'on voit, ressent, comprend, d'un film comme d'un vin, et non ce que le pouvoir, quel qu'il soit, exerçant son hégémonie culturelle, voudrait qu'on voie, est un droit vital pour tout citoyen. Si on supprime cette demande de critique, à la fois par la démission des critiques (soumission à l'argent, copinage, marketing ou simple peur) et l'orientation de la production vers le divertissement qui ne demande pas de jugement mais de simples réactions, alors on affaiblit la liberté de tous.

C'est pour cela que la survie d'une critique fondée sur la connaissance intime d'un métier, exercé avec une totale liberté – et surtout sans cynisme –, est indispensable à la survie de la civilisation. Le cinéma, qui nous amène à voir ensemble et qui fait de la salle un espace démocratique et populaire, est le lieu idéal où exercer ce regard critique. Les désaccords de spectateurs sur un film sont parmi les plus vifs et les plus vivifiants qui soient. Ou du moins ils l'étaient à l'époque où le cinéma était un élément essentiel dans la réflexion quotidienne de tous. En défendant nos goûts, nous affirmons notre individualité dans un contexte social (à l'inverse de l'individualité purement réflexive). Walter Benjamin le résumait dans une formule limpide : « Au cinéma, le public ne sépare pas la critique de la jouissance. »

3

La limousine blanche et le tracteur

Malheureux et angoissé, je quitte la salle de *Paris, Texas* pour retrouver une fraîche soirée new-yorkaise d'octobre. Je vois autour de moi quelques personnes, visiblement troublées elles aussi, mais qui n'osent pas le dire. Et d'autres sans doute sincèrement emballées. Puis j'aperçois Wenders en jean avec des bottes de cow-boy. La plupart des metteurs en scène s'habillaient encore en veste et cravate pour les grandes soirées. Alors, sa tenue en faisait clairement un gars comme nous, qui ne jouait pas la star. En fait, je comprends aujourd'hui qu'il ne jouait pas la star comme les *autres* stars de l'époque.

Je ne sais plus si je guettais la sortie des artistes, ou si, par hasard, je l'ai vu sortir. Mais je me souviens que je l'ai attentivement regardé, tout de même émerveillé de voir Wenders-le-réalisateur en chair et en os. Je savais qu'il devait aller à la soirée du film au *Tavern on the Green*, en plein cœur de Central Park, à six cents mètres de la salle. Et j'ai été complètement dépité de voir qu'il était attendu par une immense limousine blanche, une de ces limousines new-yorkaises qui défient les limites de l'ingénierie automobile pour le compte des ego des nouveaux riches. En principe, tout ce que Wenders refusait.

Je me suis dit, il n'est pas possible que Wim Wenders entre là-dedans. Wim Wenders, l'auteur d'*Alice dans les villes*, le cinéaste intello-démocrate cool, le gars qui représente le côté rebelle décontracté de notre génération. Je n'en croyais pas mes yeux (de garçon de vingt-deux ans). Il entrait avec un plaisir nonchalant dans la limousine blanche pour parcourir six cents mètres.

Évidemment, aujourd'hui, j'aurais un jugement moins sévère. Surtout que, peu d'années après, lorsque mon premier film, *Resident Alien*, fut présenté en avant-première mondiale au festival de Toronto, on m'a envoyé une voiture pour m'amener à la projection… et j'étais sidéré de voir que c'était une limousine blanche ! Elle faisait la moitié de la taille de celle de Wim Wenders mais quand même… une limousine blanche, dans le style de Toronto et non pas de New York ; pour un débutant de vingt-huit ans et non pas pour un grand artiste affirmé. Mais son petit frère, son auto-semblable.

Me souvenant de la nuit wendersienne à New York, j'ai tout de suite déclaré aux délégués du festival de Toronto que je n'y monterais pas. Mais le personnage principal du film, Quentin Crisp, était déjà dedans. Avec ses quatre-vingts ans, je n'allais pas le faire attendre longtemps. Je suis monté et nous sommes partis pour le trajet symbolique – pour nous tous – de huit cents mètres. Depuis, j'ai sûrement circulé dans beaucoup d'autres limousines, sans grands états d'âme. Hypocrisie à l'époque ? Hypocrisie aujourd'hui ?

Compte tenu de l'état actuel du monde, j'ai envie de donner raison au jeune homme de vingt-deux ans rebuté par un symbole plutôt qu'à l'homme de vingt-huit à cinquante ans qui a fait six longs métrages et participé à des centaines de festivals où, de temps en temps, il acceptait calmement le petit voyage ostentatoire en limousine blanche.

Le rapport au succès et à l'argent a toujours été une source de conflit, créant une tension quotidienne chez tout artiste, dans toute société, à toute époque. Il y a des génies aussi habiles politiquement qu'artistiquement, comme Vélasquez qui, en inventant *Les Ménines* en 1656, a rendu l'hommage le plus sublime et troublant au rôle de l'artiste dans son rapport au pouvoir. Le déplacement du roi et de la reine comme fantômes dans le reflet du miroir afin que le regard du peintre lui-même domine le tableau, à côté d'enfants et de nains, établit les critères paradoxaux de la modernité : la subversion dans et par la soumission de l'artiste.

De même, beaucoup de Russes reprochaient au légendaire metteur en scène Andreï Tarkovski d'avoir trop habilement joué un double jeu avec le pouvoir soviétique, surtout dans *Nostalghia* et *Le Sacrifice*, les deux films qu'il a faits à l'étranger pendant sa période d'« exil ». Ses défenseurs occidentaux maintenaient que c'était la seule manière pour lui de survivre et que ça lui a permis de faire des chefs-d'œuvre.

Aujourd'hui, à trois cent soixante ans de distance, personne n'irait reprocher à Vélasquez d'avoir été un lèche-cul du pouvoir royal. Personne n'irait lui dire qu'il aurait pu faire un meilleur tableau que *Les Ménines*. Et ceux qui voient *Andreï Roublev* ou *Le Miroir* de Tarkovski aujourd'hui, ne sachant rien de sa biographie, vont simplement s'émerveiller devant ses audaces poétiques. Mais les questions d'éthique, de comportement envers le pouvoir restent présentes dans les deux cas.

La question fondamentale pour tout artiste, tout journaliste, tout enseignant, tout intellectuel et tout parent est : « Qu'est-ce que l'exercice du pouvoir ? Qu'est-ce que remettre en question les mécanismes du pouvoir ? » Si on souhaite sa propre liberté, mais aussi celle des autres, jusqu'où peut-on faire preuve de désobéissance civile à l'intérieur d'une société ou d'un foyer ?

Sans vouloir offenser ceux qui, jusqu'à aujourd'hui, prient dans la paroisse wendersienne, j'ai le sentiment que Wenders est un parfait contre-exemple, le pur produit de son époque.

Dans les années 1970, il était parfaitement post-soixante-huitard, n'abordant les questions politiques qu'ironiquement, de biais, sans faire de films engagés ni militants. Mais il savait que, sans un léger aspect politique, un film ne pouvait pas trouver ses spectateurs, fatigués par les révoltes soixante-huitardes, mais encore convaincus de l'importance de la politique au niveau des gestes quotidiens. La dimension politique était un des éléments indispensables à tout film ambitieux, comme la dimension violente l'est aujourd'hui. Il incarne ainsi les années 1970, avec la désaffection d'*Alice dans les villes* et d'*Au fil du temps*, dont la réplique fameuse : « Les Américains ont colonisé notre inconscient », aboutissait au nihilisme des images publicitaires de *L'Ami américain.* Cette désinvolture politique résonnait très fort chez des étudiants de vingt ans (comme moi).

Dans les années 1980, l'époque se transformait en pur produit de consommation. Tout s'est durci avec la révolution néolibérale de Thatcher et de Reagan qui a provoqué l'avènement d'une société de consommation à outrance. Wenders a bien senti l'air du temps et il a fabriqué des objets bien packagés : jolie lumière, jolis comédiens, jolis moments de « poésie déclarée ». *L'État des choses*, *Paris, Texas*, *Les Ailes du désir* sont de purs produits des années 1980.

Dans les années 1990, la société se cristallisait, se cocaïnisait dans une consommation encore plus standardisée et profilée pour le marché, même chez ceux qui se revendiquaient « à contre-courant ». On a vu apparaître chez lui l'aspect design, mode, pop. Ce n'est pas par hasard, s'il a fait des films sur la mode, ni s'il menait une vie internationale très suivie par les *paparazzi* haut de gamme, passant de limousines blanches à des avions privés avec ses collaborateurs rock stars comme Bono. Au lieu de faire des films qui observaient – ou plutôt selon son goût –, incarnaient le *Zeitgeist*, Wenders le vivait.

En tout cas, en faisant, en 1997, *The End of Violence*, il faisait plutôt « The End of Wenders », car la décennie était déjà portée par l'effet Tarantino (*Reservoir Dogs* en 1992 et *Pulp Fiction* en 1994). Pour une société axée sur l'apparence et ayant l'abondance pour idéal, il fallait des stimulants beaucoup plus forts que Wim Wenders. Il n'avait pas compris que, pour s'adapter complètement, il fallait embrasser la violence, proclamer « The Start of Violence » et non pas sa fin. Wenders, vendeur subtil de la poésie des espaces vides, ne peut pas concurrencer la violence porno-pulpeuse qui engorge les cadres de Quentin Tarantino et ses nombreux acolytes. Wenders a donc pris un virage dès les années 1990. Il perdait son public avec des échecs souvent coûteux (par exemple, *Until the End of the World*, 23 millions d'euros en 1991, qui vaudrait le double aujourd'hui).

On peut le voir comme le symbole de son époque dans la mesure où, très obsédé par la fin des choses, il avait compris qu'il était lui-même la fin de *quelque chose*, que lui et ses films incarnaient un certain échec de l'art devant le marché. Il a donc fait beaucoup de films qui annonçaient, de manière romantique, mélancolique et nostalgique, la fin des modes. Mais il est devenu, de manière totalement incohérente, à la fois le symbole du people glamour *et* du cinéma d'auteur, le poète du cinéma allemand (qui évite de parler du passé nazi, mais qui fête le nouveau maître mondial, la « culture américaine »), voire le poète international *et* un membre de la jet-set. Wenders *cinéaste* devient *créateur*, selon les critères de ses compagnons dans la mode, elle-même l'incarnation « créative » par excellence de la société néolibérale.

Où est l'aboutissement logique de cette « wim-ontologie » ? J'ai longtemps pensé l'avoir trouvé en 2009 dans un avion de la compagnie Iberia. J'ouvre alors leur magazine de bord et je découvre une page de pub pour des écrans Sony. Le visage souriant de Wim Wenders m'attend avec la signature de Wim le Wendeur après un texte promotionnel, genre : « Rien de mieux que les écrans Sony... » Indéniablement un cinéaste de très grand métier, il incarne l'auto-soumission progressive et darwinienne aux normes du pouvoir consommateur de la société.

Mais le véritable aboutissement se trouve sans doute dans son film de 2014, *Le Sel de la terre*, sur son ami Sebastião Salgado, célèbre photographe brésilien. Il parachève ce *cursus honorum* contemporain du grand artiste jet-setteur. Dans une séquence emblématique, alors que l'un photographie l'autre en train de le filmer, Salgado s'exclame : « Wim j'ai une belle photo de toi ! » Wenders répond : « Moi aussi ! » Et Salgado conclut : « Oui, j'imagine... » Wenders par Salgado, Salgado par Wenders. C'est le portrait de l'artiste millionnaire X par l'artiste millionnaire Y. C'est le portrait de l'économiste devenu artiste par l'artiste devenu « économiste ». Deux auto-hagiographies parallèles sans propos sur les autres. L'image même du renoncement.

Mais, encore une fois, c'est un film qui saisit l'état des choses aujourd'hui, non pas dans une formulation critique, mais dans le sens du marché, de ce que les spectateurs attendent (triomphe aux oscars compris, bien entendu). Ici, la consécration d'un designer par un autre designer, tous deux très reconnus, sans qu'aucune vraie réflexion sur l'état du monde que ces photographies sont censées raconter soit même esquissée. Au comble du narcissisme, on trouve une séquence où Wenders diffuse les photographies les plus terribles de Salgado, prises au Sahel dans des conditions de famine atroces. Bien que leur grande esthétisation de la détresse humaine puisse poser des questions éthiques (et, au Brésil, Salgado est très controversé pour ses clichés érotisant la misère), ce qui est plus que troublant, c'est encore davantage leur utilisation dans le film, comme simples illustrations de l'humanité de l'artiste international. À aucun moment, Wenders ne s'interroge sur ce qui semble une évidence. Ces images sont-elles des cris d'alarme ou des biens culturels de consommation courante ? Des vues sur le monde ou des reflets élogieux de celui qui les a prises ? Au final, Wenders, collectionneur des photos de Salgado – et donc spéculateur sur leur valeur « boursière » –, nous présente sa logique de consommateur. Et de revendeur. Peut-être même sans en avoir conscience.

Mais Wenders n'est pas une exception ni un cas à part. Le marché mondial du cinéma, avec sa logique de marketing, attend plutôt de l'artiste qu'il soit un designer, un créatif ayant une signature reconnaissable, identifiable, comme une marque. Il faut qu'il soit capable de lancer des produits au design visuel et sonore repérable, exportable, rentable. Et Wenders est sans doute un des plus talentueux de cette tendance.

La conséquence de cette évolution, c'est que l'artiste comme personnage public n'a plus le crédit politique et social qu'il avait à l'époque où Pasolini parlait à la télévision italienne depuis la cité fasciste de Sabaudia. Et il en est aussi responsable que les systèmes de pouvoir qui l'ont expulsé. La confiance dans l'artiste a diminué au point qu'on ne le reconnaît qu'en tant que designer, au même statut que d'autres commerçants de produits de luxe.

Trop riche, trop narcissique, trop élitiste, d'un côté, il semble attaché à ses privilèges sans toujours les mériter. Il est souvent un produit plus qu'un producteur, rentabilise sa signature et son nom, et devient un designer capable de forger des produits identifiables plutôt qu'un inventeur de formes, un esprit critique ou une tête chercheuse.

Ou bien, trop pauvre, trop exclu, trop limité dans sa portée, par le rejet dont il est l'objet de la part de l'industrie, et ne s'adressant plus qu'au cercle des amateurs éclairés et des autres acteurs culturels, dans des lieux spécialisés, il ne parle plus à *la* société mais à une galaxie de sous-groupes auto-désignés. C'est alors un artiste militant pour niches culturelles, coupé d'un public élargi au-delà des *déjà convaincus*. Il survit sous serre où l'air des financements publics commence à manquer, où l'océan de l'Internet le noie – car il faut 1 million de retweets pour marquer – être remarqué – et même avec cela, n'avoir droit qu'au quart d'heure de célébrité warholien.

Il faut donc (re)donner à l'artiste une place sociale qui ne soit pas celle du grand jet-setteur déconnecté ni celle du marginal inaudible, du crypto-militant de la vie culturelle. Il faut faire émerger une écologie de la culture, comme il y a une écologie de la nature, avec les mêmes objectifs : la protection de la biodiversité, la préservation des nouvelles générations (transmission de la culture), la promotion d'une éthique humaine et fraternelle, et privilégier une démocratisation qualitative contre une démocratisation purement quantitative. Réveiller une culture qui ne soit pas le spectacle commercial de ce qu'elle fut mais joue un rôle vivant de ciment social, une culture générative où la notion de partage remplacerait celle de consommation, sans exclure, bien sûr, les réalités économiques.

Il faut réinventer la place de l'artiste.

Aussi improbable qu'il y paraisse, il se peut que le mouvement des vins naturels, ce qui se produit aujourd'hui, sur un plan culturel, dans le monde paysan et ex-urbain – la Révolution agri-culturelle –, nous ouvre la voie vers une réunion des deux sens du mot culture, qui, jusqu'à la fin du XVIIe siècle, voulait dire uniquement « travailler la terre ».

Le mouvement des vignerons naturels peut être une source d'espoir et d'inspiration. Depuis le milieu des années 2000, sa dimension de liberté politique, sociale et esthétique s'est imposée, grâce à l'esprit férocement individualiste *et* férocement collectif des artisans.

Nous détaillerons, dans les chapitres suivants, l'histoire du mouvement, de ses protagonistes, et nous essaierons de montrer comment ils s'organisent aujourd'hui. Mais il suffit ici de souligner que face aux menaces similaires qu'affrontent les cinéastes, journalistes et acteurs culturels urbains, ces paysans et néopaysans ont réussi, en dix ans, à construire un monde de culture et d'économie du vin vigoureusement et joyeusement parallèle. La force de leur acte de désobéissance et d'affirmation de leur liberté culturelle, face à l'ensemble du système gouvernemental-industriel, a offert de nouvelles possibilités d'engagement à d'autres acteurs du monde du vin : distributeurs et importateurs militants, cavistes passionnés et pédagogues, restaurateurs éclairés et critiques-blogueurs libres. La construction de ce réseau mondial d'artisans et de commerçants authentiquement indépendants garantit la liberté de celui qui reçoit, en fin de parcours, le fruit de cette expression particulière de la culture : l'amateur. L'anticonsommateur.

C'est un monde qui s'ouvre de plus en plus au public (de plus en plus jeune) et commence même à redéfinir les principes esthétiques du vin. Avec les vignerons naturels, on découvre un nouveau visage de l'artisan. Contre la figure de l'œnologue « gourou du vin » qui reprenait celle de l'artiste tout-puissant, démiurge, génie, capable de faire pousser de la vigne sur la lune et de faire le même vin, au design boisé-sucré, de la Chine à Bordeaux, émerge celle du petit artisan ancré dans son lieu. Il est soucieux de la nature et de l'expression de sa terre, il est incapable de faire un vin qui ne soit pas témoin d'une histoire particulière, inscrite dans le double cycle de l'année accomplie et du renouvellement des générations.

On passe ainsi de la figure romantique de l'artiste, considéré comme l'écho sonore de son siècle, prophète élu par son propre génie (ou par Dieu), à un artisan-artiste, soucieux surtout de ne pas séparer éthique et esthétique. Il est ambitieux et humble (c'est-à-dire proche de l'humus) et non surhumain (c'est-à-dire sur le dos de l'homme). Mais attention, il n'est pas pour autant « modeste » : la modestie c'est le goût de la moyenne, c'est s'inscrire dans une logique industrielle visant à toucher le plus grand nombre avec un produit savamment « moyen », neutre, lisse, fade. Les vignerons naturels vraiment exigeants ne sont pas modestes. Ils exècrent la fadeur. Ils sont, eux, aussi ambitieux que leurs confrères, les artistes urbains.

Ces vignerons ne se prennent généralement pas pour des « créateurs », ce sont des « inventeurs », c'est-à-dire qu'ils ne font rien sortir du néant mais qu'ils trouvent des chemins pour que leur vision du monde et de l'homme devienne la substance même de leurs vins. Ils prennent en compte cette altérité radicale qu'est la nature.

L'artiste qui veut s'inspirer de l'artisan, qui revendique aujourd'hui son esprit, est un inventeur mais ce n'est pas un artisan au sens ancien, corporatiste et technique du terme, ce serait plutôt un *artisaniste* ; un artiste repassé par son origine artisanale.

4

Vigneronistes

Il y a dix ans, alors que sortait mon quatrième film, *Mondovino*, et que je commençais à écrire mon premier livre, *Le Goût et le Pouvoir*, le vin était surtout, pour moi, une *expression* culturelle. Cette conception était déjà en opposition avec son statut de produit de la société du spectacle marchand. Mes rencontres avec de vrais vignerons, de par le monde, m'avaient convaincu que la qualité du vin, ce qui définissait sa valeur culturelle et historique, était dans les vignobles eux-mêmes avant d'être dans la bouteille. À l'époque, je n'avais pas fait le pas suivant et décisif : reconnaître que sa valeur plus profonde vient du geste agricultu-rel, paysan qui se trouve derrière la qualité des vignobles. Le mouvement du vin naturel amène ceux qui s'y intéressent à réfléchir à l'agriculture dans sa globalité culturelle, à penser l'agriculture comme l'enjeu essentiel de l'avenir de l'humanité. Le vin n'est que son ambassadeur le plus cosmopolite et le plus bavard.

Le célèbre historien Robert Hughes a défini comme le « choc du nouveau », le déplacement tectonique de la définition de l'art produit par la peinture dans la première moitié du XXe siècle. Si le film *Huit et demi* a eu sur moi un effet digne de cette expression lorsque j'avais dix-huit ans, j'ai connu un nouveau « choc du nouveau » vingt-cinq ans plus tard avec le vin naturel.

À l'occasion de la sortie de *Mondovino*, j'ai eu un entretien avec un drôle de garçon qui venait du *Figaro*. J'attendais de lui une attaque néolibérale en règle. À ma grande surprise, Sébastien Lapaque me reprochait de ne pas avoir été assez radical. Il voulait savoir pourquoi le film ne parlait pas des vins naturels ni de son ami (et ami proche de Guy Debord) Marcel Lapierre, un des pères spirituels et matériels du renouveau du vin.

Désarçonné, je lui ai répondu que le vin en tant que tel n'était pas l'objet de *Mondovino*, et que c'était plutôt une comédie anthropologique sur les hommes du vin. Mais Lapaque m'a troublé. J'étais en train de découvrir ce mouvement, marginal à l'époque, qui me fascinait et me déroutait. Par la suite, ma connaissance de ce monde allait croître avec ma découverte de cet étonnant personnage : monarchiste franciscain de gauche, romancier, essayiste, amateur original du Brésil, passionné de Bernanos, de saint François et l'un des premiers à raconter les hommes et la culture derrière le vin naturel, dans *Le Monde diplomatique* comme dans *Le Figaro*.

En fait, à la sortie de *Mondovino*, je donnais beaucoup d'interviews dans un des seuls bars à vins naturels de Paris à l'époque : *Le Verre volé*. Longtemps avant qu'il devienne un endroit un brin trop désenchanté et tendu (par un patron devenu très soucieux de ses sous), c'était un lieu décontracté et passionné, où l'on se sentait comme entre bibliophiles et cinéphiles. Au lieu de parler de films et de livres, les jeunes qui y travaillaient ou qui le fréquentaient parlaient – et buvaient – des vins.

Les vins qu'ils défendaient (et que les jeunes qui y travaillent défendent toujours) me plongeaient parfois dans le doute, car ils rompaient avec mes *a priori*. En 2004, beaucoup de vignerons débutaient sur le chemin du vin « expérimental ». Leurs vins étaient parfois complètement éclatés ; si peu maîtrisés que le plaisir était, pour moi, très limité. Mais c'était une école indispensable, pour eux bien sûr, mais aussi pour moi et tous ceux qui les découvraient. À l'inverse de ceux qui voient le vin comme un produit pour satisfaire des consommateurs, je pense qu'il est tout à fait raisonnable de « payer leurs erreurs », reproche qui leur a été souvent fait. Le public devrait être complice de toutes les recherches culturelles de ceux qui osent expérimenter. C'est une question de confiance, levure essentielle pour que la culture elle-même puisse exister. L'époque où le cinéma était le plus vital était sans doute celle où les cinéastes pouvaient compter sur un public (et une profession) fidèle jusque dans leurs errances (sincères et talentueuses).

En goûtant ces vins moins policés, moins « arrangés » par rapport à ce que je connaissais, je sentais la même excitation que lors de ma découverte du cinéma d'auteur vingt-cinq ans plus tôt. Je goûtais des rouges souvent légers et acides à l'inverse des rouges charpentés et sucrés qui dominent le marché depuis les années « coca-1980-isées ». Mais la rupture avec les blancs semblait encore plus radicale. Les blancs devenus « conventionnels » étaient ou neutres – carrément vidés de leur contenu – ou surcharpentés, et sucrés (le vide d'un certain cinéma d'auteur ou la surexcitation et l'édulcoration hollywoodienne de l'époque ?). À l'inverse, avec le vin naturel, les blancs que je découvrais étaient souvent tanniques, très parfumés et très colorés, parfois orange, et toujours dans un registre salin, acide, terreux. Ces blancs m'étonnaient par leur tactilité plus marquée, alliée à une vitalité acide. Les rouges étaient plus fins, salins et légers que ce qui est devenu le

« rouge standard », le « gros rouge de luxe ». J'ai mis du temps à comprendre que je goûtais des vins qui reprenaient une tradition millénaire, interrompue seulement après la Seconde Guerre mondiale avec l'avènement de la chimie dans l'agriculture. C'étaient des vins qui me reliaient aux origines d'un geste fondateur de transformation culturelle de la nature.

Le choc de la découverte de ces vins naturels a eu les mêmes conséquences que ma découverte de *Huit et demi* vingt-cinq ans auparavant. Comme pour les films, ni la bouteille qui excite mon admiration, ni celle que je refuse ne me laissent passif. Leur propre énergie vitale exige des réactions également vitales. Je sens en eux l'effervescence de la vraie radicalité, dans son sens profond de « racine ». Il y a certainement des vins naturels d'une radicalité douteuse, d'une radicalité peu « racinaire », où on provoque sans profondeur, comme dans tout mouvement artistique novateur, juste pour épater le bourgeois, pour se montrer, faire le spectacle. Mais, après quinze ans de dégustation attentive, j'ai surtout le sentiment de rencontrer une authenticité dans les gestes de ces vignerons néophytes ou anciens, investis dans une recherche de l'histoire, d'un lieu, d'une culture. Leur expérimentation est libre et cette liberté donne de la liberté aux autres. Et c'est précisément cette liberté contagieuse qui constitue le caractère émancipateur de la culture.

Tout cela a mis du temps à pénétrer ma conscience. Quand j'ai écrit mon premier livre, j'étais sur le chemin de l'amour de ces vins différents, mais je gardais un pied dans l'autre monde. Aujourd'hui, j'ai du mal à boire des vins conventionnels, présentés comme « traditionnels » mais en rupture absolue avec la tradition. Parfois, ils sont même bio, mais, dans tous les cas, je sens que l'intervention de l'homme a muselé le terroir, réprimé l'expression de sa nature, comme certains réalisateurs amoureux de la technologie peuvent réprimer l'humanité de leurs comédiens.

Quand j'ai réalisé *Sunday*, en 1997, mon premier film de pure fiction, je travaillais avec le grand acteur anglais David Suchet. Star de la Royal Shakespeare Company depuis trente ans, vedette de la télévision (« Poirot » entre autres) et protagoniste d'une quarantaine de films hollywoodiens et anglais. Suchet a été pour moi une école de cinéma. Le premier jour du tournage, alors que je choisissais, avec le chef opérateur, la position de la caméra et la focale de l'objectif, il me scrutait. Je sentais son regard sur moi à chacun de mes gestes. Au bout de dix minutes, j'ai commencé à me sentir comme devant un scanner.

Finalement, quand tout a été enfin prêt, j'ai complètement oublié l'existence du « *video assist* », écran portable qui permet aux réalisateurs de suivre l'action de la scène et les mouvements de la caméra. Introduit dans les années 1980, il était déjà devenu de rigueur sur tous les plateaux. Mais dès que j'ai crié : « Action ! », il m'était impossible de quitter la sensation physique du regard de David Suchet, comme si, après avoir montré tant d'intensité de regard, il pouvait fixer les yeux du comédien qui était en face de lui, et moi derrière, en même temps.

La prise se termine. Suchet marche directement vers moi. Il met son bras autour de mes épaules et dit avec un sourire presque menaçant : « Heureusement que tu as compris. » En fait je n'avais rien compris, mais je secouais la tête en signe de fausse complicité.

Ce n'est que plus tard, lorsque j'ai réussi à vraiment gagner sa confiance qu'il m'a dit que le test, pour lui, pour faire la différence entre un réalisateur et un technicien, c'est de voir qui regarde attentivement les yeux du comédien lors d'une prise et qui se renferme derrière l'écran du « *video assist* » pour s'assurer de la perfection du plan. Pendant le tournage de mon film suivant, *Signs & Wonders,* le magnifique acteur suédois Stellan Skarsgård me l'a expliqué simplement : « Le regard du réalisateur est celui des spectateurs. Et un comédien a besoin de son regard pour vivre. Mais si son regard est porté sur l'appareil, la forme et non pas sur ce qui produit l'émotion, la vraie substance, le spectateur risque de faire pareil… »

Les vintellos

Ce n'est pas uniquement (ni même principalement) le goût qui détermine ma passion pour ces vins. C'est plutôt l'ensemble des gestes des hommes et des femmes qui les font et leur rapport avec la nature *et* avec la société. Sans doute cela est-il présent dans le goût du vin, tout comme la personnalité et l'engagement d'un artiste conditionne – mais ne définit pas – la qualité esthétique de son travail. Pas plus, pas moins. Mais l'esthétique sans l'éthique est inerte, ne rejoint pas le vivant.

Récemment, autour d'un café, pas loin de la Sorbonne, à Paris, j'ai eu un échange significatif sur cette question, avec un couple d'amis, Rachel Rosenblum et Daniel Dayan. Rachel Rosenblum, psychanalyste, écrivaine et intellectuelle étincelante, m'a avoué qu'ayant récemment découvert le monde des vignerons naturels, elle a pensé, pour la première fois de sa vie, que le monde matériel avait quelque chose à lui raconter. Rachel, née dans les années 1940, fait partie de cette génération de l'après-guerre qui pensait que les grandes questions matérielles étaient résolues. Pour eux, même l'attitude critique envers la société de consommation était néanmoins compatible au fond avec le maintien du système. À quelques exceptions près, comme Guy Debord qui a lutté jusqu'à son suicide contre toute récupération par le système qu'il décriait, tout le monde était d'accord avec l'idée que la consommation devait être critiquée et que la critique devait être consommée.

La génération de Rachel était fidèle à l'idée que le modèle occidental de développement nous portait en avant même en tenant compte des remises en question profondes des marxistes. Cette génération pensait que les grandes questions qui restaient étaient existentielles, théoriques et immatérielles. Ceux qui étaient attirés par les arts, par la culture, par le monde intellectuel, vivaient dans un culte de l'immatériel (dont la déconstruction est sans doute l'apothéose… ou le nadir).

Daniel Dayan, son mari, anthropologue mondialement reconnu, est de la même génération. Il me dit que, lorsqu'il était étudiant, en 1963, il avait fait une année d'étude de terrain, d'anthropologie concrète, durant laquelle il avait manipulé des données physiques. Ça l'avait tellement ennuyé qu'il attendait chaque jour de passer à la « véritable anthropologie », qui était la théorie, l'anthropologie sociale.

Je suis né en 1961 mais je suis complètement façonné par la culture de l'après-guerre, donc j'appartiens beaucoup plus à leur génération qu'à celle qui a suivi la mienne. Quand Rachel m'a dit ensuite que son fils, Emmanuel, cinéaste né vingt ans après moi, était très écologiste (elle a dit « écologue »), je lui ai répondu que c'était une évidence. On ne peut pas avoir moins de quarante ans et ne pas se considérer comme écologiste. Cette génération et celles qui lui ont succédé ont compris beaucoup mieux que les nôtres que le seul véritable enjeu politique, existentiel, philosophique, était devenu surtout matériel.

La réincarnation de la chair ?

Les vignerons naturels et leur engagement dans la matière la plus absolue et la plus vivante, sans perdre sa dimension spirituelle, permettent un retour vers une pensée plus concrète et suggèrent une issue de secours possible pour les acteurs culturels.

Il y a dix ans, l'avenir semblait aussi noir pour les partisans du vin comme expression culturelle et artisanale qu'aujourd'hui il le paraît pour les partisans de la culture tout court. Il semblait que huit mille ans de viticulture allaient être anéantis par le double avènement du vin industriel toujours plus nocivement chimique et celui du vin de luxe, faussement artisanal, tout aussi chimique et formaté.

Quel espoir subsistait-il pour les quelques vignerons écologistes et artisanaux dans chaque région ?

La guerre semblait perdue. Toutes les institutions censées défendre la santé et l'authenticité des vins, en France, les AOC (appellations d'origine contrôlée) et l'INRA (Institut national de la recherche agronomique) entre autres, en Italie, les DOC (*denominazione di origine controllata*) et les facultés d'agronomie, en Australie, aux États-Unis, en Espagne... partout le constat était le même. Elles étaient toutes envahies par les *œno-body snatchers*. Avec l'argent des lobbies de l'industrie agrochimique investi au cœur de la recherche agronomique en Europe, aux États-Unis, en Amérique latine et en Océanie ; avec des journalistes soumis et complices de l'aberration agrovinicole et avec des commerçants et un public chaque année plus dupes de ce système, il semblait très peu probable que des vignerons insoumis survivent.

Et pourtant, non seulement ils ont survécu, mais ils ont réussi à inspirer des milliers et des milliers de confrères et de nouveaux venus qui défendent l'agriculture comme acte de liberté et comme démarche éthique et même esthétique. Surtout, sachant que, au XXIe siècle, le paysan finissait souvent tout seul, isolé et sans suite, le plus grand miracle du mouvement du vin naturel a été le développement spontané d'un réseau international de solidarité entre les vignerons, puis d'une communauté sociale et commerciale, surtout chez les jeunes, de São Paulo à Paris, de New York à Tokyo. Une nouvelle culture a émergé, réunissant la ville et la campagne dans un même mouvement.

Aujourd'hui, le vin naturel est une solide réalité économique, esthétique et même politique, à travers le monde. Il concerne des paysans de souche, ceux qui ont toujours eu le « bon sens » de ne pas céder aux sirènes de la facilité chimique (trompeuse) aussi bien que ceux qui ont découvert la naturalité en chemin. Mais le mouvement inclut aussi beaucoup de nouveaux paysans convertis, sortis de leurs vies urbaines (et souvent de métiers culturels), et de réfugiés volontaires d'une société qu'ils considèrent comme gravement déséquilibrée.

Ce mouvement rassemble des milliers de vignerons, tous très différents les uns des autres, revendiquant leur libre subjectivité. Bien que surtout installés en France et en Italie, on trouve aujourd'hui des vignerons naturels dans presque tous les pays producteurs de vin, ce qui nourrit leur diversité et leurs différences.

Au fil de ce livre, nous esquisserons le portrait de plusieurs de ces vignerons, sachant que ceux que nous avons choisis ne pourront jamais incarner tous les autres ni être « représentatifs ». À l'inverse du cinéma, par exemple, où on peut acquérir une connaissance assez large du terrain pour identifier les artistes qu'on estime le plus, l'expérience du monde agricole, surtout des vignerons naturels d'aujourd'hui, nous défie d'arriver à une liste définitive ou même approximative. On n'est jamais à court de surprises et de découvertes. Si on considère qu'on est passé d'à peu près cent vignerons naturels en France il y a dix ans, à peut-être mille cinq cents aujourd'hui, et que, chaque semaine, il y a de nouveaux convertis, il est devenu impossible de détailler tous les protagonistes.

Marquer son territoire

Mathias Marquet, garçon de trente et un ans, vit près de Bergerac. Il a passé un an à Sciences-Po à Bordeaux, puis est allé faire une école lyonnaise de marketing et de communication humanitaire. « Mais tout ça m'a semblé tellement hypocrite, explique-t-il. On nous a appris plutôt à avoir des relations Nord-Sud, toujours en faveur du Nord. » Il est alors parti en Nouvelle-Zélande avec sa compagne Camille, pays où ils ont fait les apprentis agriculteurs dans des conditions diverses. Inquiets de ce que la France proposait aux jeunes, ils pensaient qu'ils pourraient y trouver leur avenir. Mais lorsque ses parents ont été sur le point de céder leurs douze hectares de vignes à Bergerac, Mathias et sa femme ont décidé de revenir en France et de les reprendre en fermage. C'était un coup de poker.

Au début, en 2007, ils ont suivi les recommandations d'un œnologue-conseil du CIVRB[1], qui travaillait également dans la propriété d'en face et un peu partout à Bergerac. Mathias raconte que, dans les toutes premières années de sa propre mise en bouteille, il est allé à une fête de village où chaque vigneron du coin apportait ses vins. Pendant que les bouteilles circulaient autour de la table et que la dégustation battait son plein, il n'arrivait pas à reconnaître son propre vin. Il était identique non seulement à ceux de son voisin d'en face, mais aussi à d'autres de l'appellation… À cette

1. Comité interprofessionnel des vignerons de la région de Bergerac.

époque, un ami caviste, à Brantôme, lui a fait goûter des vins naturels, notamment les blancs de Sologne de Claude Courtois, un des pionniers courageux du vin renaissant. « La première fois, j'ai trouvé ça dégueulasse. Mais, après plusieurs mois et plusieurs bouteilles, j'ai craqué. » Il s'est alors intéressé au chemin à suivre pour rejoindre le mouvement du vin naturel. « J'avais compris le lien entre le goût de tous ses vins et comment il fallait travailler. »

L'aspect politique était important mais « d'abord, c'était une question de goût. Les autres dimensions sont venues après. Mais, honnêtement, les gens parfois en font trop. J'ai plus de respect pour mon voisin qui est un vrai paysan et qui, malgré sa façon non naturelle de travailler, a dix fois moins d'impact écologique que pour le grand monsieur avec sa grande gueule du vin naturel, qui se déplace en permanence en avion dans le monde pour déclamer son engagement écologique ». Il ajoute : « Le militantisme est dans le quotidien et pas dans l'affichage. Il est réel, concret. »

Mathias Marquet, quoi qu'il dise sur les dangers d'un militantisme de façade, n'est certainement pas un garçon en retrait. En dehors de sa production de blancs et de rouges vivants, joyeux et complexes (avec des noms comme « Va te faire boire » et « Eyes wine shut ») qui m'ont donné une idée de ce qu'était un vrai bergerac, ce vigneron néophyte est très actif sur les réseaux sociaux, dans les discussions entre jeunes vignerons aussi bien que les discussions de la politique agriculturelle.

En juin 2014, il reçoit une lettre du CIVRB qui l'invite à un atelier professionnel, intitulé « Vin rouge technologique : fin d'un tabou ? » Marquet, sorti depuis trois ans de l'appellation bergerac, ne peut pas s'empêcher de réagir. Il écrit une lettre ouverte à l'œnologue concerné : « À lire votre bulletin d'adhésion, il semble nécessaire aujourd'hui d'apprendre à utiliser tous les outils comme, je vous cite :

« "Utilisation de copeaux et autres alternatifs boisés, remise au goût du jour des techniques de chauffage de la vendange (thermovinif, flash détente) et outils de micro-oxygénation.

« À l'heure où on cherche toujours ce qu'est un bergerac, à l'heure où l'idée persistante de voir les bergeracs comme de "petits bordeaux" qui garnissent les étalages bas des rayons des supermarchés, vous faites visiblement preuve au CIVRB d'une capacité d'adaptation à toute épreuve. Vous faites ainsi le jeu, que dis-je : vous êtes le bras armé, la caution scientifique et technique d'un négoce bordelais qui a fossoyé notre appellation depuis cinquante ans. Puisque Bergerac n'a pas d'identité, puisque Bergerac fait EXACTEMENT les mêmes erreurs que Bordeaux, puisque vous êtes vendus à des marchands de misère, nous toucherons le fond bientôt grâce à vous…

« Je vous cite :

« "Aujourd'hui le marché du vin s'ouvre de plus en plus à ces vins rouges modernes, de plaisir immédiat, dits 'vins de soif', susceptibles de plaire aux consommateurs cherchant de plus en plus de vins à consommer en toutes circonstances." L'histoire des "vins de soif" ? Quel mensonge ! Vous buvez un rouge boisé pour étancher votre soif, vous ? Des vins à consommer en toutes circonstances ? En canette, en gourde pour vélo, en biberon ? Ce sont des vins sans identité, qui s'adaptent au consommateur, et pas le contraire. C'est dans cette logique du monde que va l'agriculture européenne et même mondiale. On fait, peu importent les lendemains, peu importent aussi les conséquences sur la paysannerie ou l'écologie, on répond à la demande du consommateur, vite, fort, bien.

« Permettez-moi de vous dire qu'à force de conseils œnologiques visant à masquer toute idée de terroir, toute idée de lieu, toute idée d'artisanat, vous êtes en train de creuser notre tombe à tous… »

Plus loin, il conclut :

« Je suis heureux aujourd'hui de ne plus présenter mes vins à l'AOC. Je ne marche plus dans ce genre de combine, où l'on juge nos vins défectueux quand vos standards de vins de soif sont ceux dont vous assurez ici la promotion. Je ne filerai pas un centime au syndicat tant qu'il sera à la solde de ce cahier des charges mortifère. Je ne choisis pas l'isolement, je choisis l'avant-garde. Je ne pourrai donc pas me rendre à cette formation. »

La lettre de Marquet n'a pas eu d'impact local, renforçant l'impression que les « naturalistes » sont isolés chez eux, à l'inverse de la fraternité qu'ils trouvent dans les foires de vin naturel où viennent les vignerons de différentes régions et d'autres pays. Chez eux, ils sont souvent marginalisés par la radicalité de leurs vins aussi bien que par la radicalité de leurs engagements civiques.

Selon Marquet, « ils ont essayé d'étouffer le truc. C'était une lettre adressée à l'œnologue qui m'a un peu étalonné la production. Il est censé être quand même le principal faiseur de goût à Bergerac, car c'est lui qui organise des dégustations d'agrément. C'est lui qui donne un peu le ton. C'est lui qui tourne dans beaucoup de propriétés. Mais les collègues vignerons l'ont prise pour eux. Je l'ai envoyée à quelques vignerons qui travaillent proprement en leur disant : "Est-ce que ça vous intéresse de la cosigner ?" Et je n'ai eu aucune réponse. Rien. Même pas : "Moi je ne la cosigne pas mais j'adhère." Même pas : "J'ai bien reçu ton mail." Rien. Silence. »

La lettre de Mathias Marquet a tout de même fait le tour des réseaux sociaux et de jeunes collègues à travers la France ont fait vivre son propos, chacun dans son appellation. Cavistes, blogueurs et restaurateurs l'ont reprise, partagée, citée et parfois affichée dans les toilettes de leurs établissements. Aujourd'hui, il n'est pas forcément facile de trouver les vins de Marquet dans sa région, mais de Paris à Tokyo, de New York à Londres, ses vins sont partagés avec le même enthousiasme que certains cinéastes insoumis des années 1970 et 1980 qui circulaient dans les cinémas d'art et d'essai, même quand ils étaient marginalisés par l'establishment, tel un Jean Eustache. Son célèbre film *La Maman et la Putain*, ovni de presque quatre heures, ancré dans le terroir parisien de la fin de la Nouvelle Vague, est un film cru, toujours surprenant, paradoxalement vu aujourd'hui comme une des réussites les plus durables du mouvement mais sans les tics esthétisants qui datent de nombreux films de l'époque.

Mais Marquet est un artisan qui sait bien que l'authenticité est fragile dans un monde où tout geste risque de faire l'objet d'une récupération spectaculaire. Il est perturbé par l'excitation suscitée actuellement par le vin naturel dans les milieux « tendance ». Il explique qu'il a plus de respect pour son importateur japonais qui vient systématiquement passer des journées entières dans ses vignes que pour de nombreux « restaurateurs tatoués et cocaïnés de Paris qui ne sont jamais venus voir le terroir (dont ils parlent si bien), mais qui m'apprennent mon métier chaque fois que j'y monte ».

Que Marquet soit troublé par la vitesse avec laquelle les gestes artisanaux et paysans sont récupérés par des flaireurs de tendances – attitude plutôt saine pour ceux qui souhaitent vraiment leur liberté – est aussi une des raisons du succès croissant du vin naturel. Il reste solidement accroché à son esprit critique, à son amour du doute et place le geste au-dessus des grandes paroles (comme celles-ci, dirait-il ?).

Ce qui est sûr, c'est que les vignerons naturels se retrouvent souvent dans la position de trublions locaux. Et pas simplement les jeunes-turcs. Thierry Puzelat, cinquante ans, fils et petit-fils de paysan à Cheverny dans le Val de Loire, fait partie de la deuxième génération – à la suite de Marcel Lapierre dans le Beaujolais et de Pierre Overnoy dans le Jura – de vignerons conscients d'être « naturels ». Puzelat est considéré aujourd'hui comme une référence pour de nouveaux arrivés comme Marquet. Il travaille « en naturel » depuis 1995, quand il a repris avec son frère les neuf hectares de leur père.

« Je n'avais pas du tout envie de faire ce métier, parce que c'était celui de mon père. J'avais été contraint de bosser à la ferme pendant l'été et les vacances, le week-end et tout... Je ne trouvais pas ça très drôle. Et comme mon parcours scolaire avait été plutôt merdique, la dernière porte à laquelle je pouvais encore frapper pour aller à l'école après avoir foiré ma scolarité générale au lycée, c'était celle du lycée agricole. J'y suis allé un peu malgré moi, un peu forcé par mes parents, et là j'ai appris à faire du vin. »

Après quatre ans à Bordeaux – BTA et BTS – (c'était « comment faire avec peu de rendement et du raisin pourri pour arriver à vendre du vin ») il a travaillé à Saint-Émilion dans un cru classé : « Là, j'ai appris tout ce qu'il ne faut pas faire. » Il est ensuite parti faire une coopération pendant un an et demi à Montréal. « Je suis revenu bosser à Bandol. Et là j'ai fait du vin comme j'avais appris à l'école, avec des levures de labo, de l'acide tartrique ajouté et tout un tas de conneries. »

C'est en 1991 que sa vie a changé. Il est invité « un peu par hasard », dit-il, par un vendangeur à un 14 Juillet chez Marcel Lapierre dans le Beaujolais. « Je suis resté deux, trois jours là, et ç'a été une révélation. J'ai été littéralement embarqué par le vin et je me suis dit : "C'est ça que je veux boire moi." Je ne savais pas du tout ce que c'était. À l'époque, ils étaient une dizaine de vignerons à travailler comme ça. Et j'ai été aussi embarqué par le personnage, parce qu'il avait cette espèce de liberté qui n'appartenait à personne dans le milieu du vin. C'était fascinant. Après, je suis allé visiter les premiers vignerons naturels : Philippe Laurent, Pierre Overnoy, et je revenais souvent voir Lapierre à Villié-Morgon. »

Et en 1995, après dix années d'errance initiatique, il reprend les terres de la famille avec son frère. « Avant, mon frère étant seul, il avait laissé à mon père la culture des vignes. Le fait qu'on soit deux nous a permis de le mettre dehors et de traiter les vignes comme on l'entendait. Sans chimie. » Thierry Puzelat marque une pause. On sent qu'il veut ajouter quelque chose d'important pour lui : « Sur la vinification, en fait, mon père était proche de nos convictions. C'est un des rares vignerons à avoir refusé d'utiliser des levures en sachet qui arrivaient comme remède miraculeux dans les années 1970. Par contre, sur les vignes, c'était un précurseur du désherbage. »

Et il reprend tout de suite : « Mais il faut comprendre le contexte de mes parents. Ils ont fini leur carrière en 1989 avec un smic pour deux. Pour eux le désherbage, c'était se libérer d'une tâche pénible. En ce temps-là, évidemment, ils n'avaient aucune conscience des conséquences pour les sols. Les gens qui vendaient les produits ne disaient rien. Le gouvernement non plus. Ils ont suivi les conseils des chambres d'agriculture. Comme ils vendaient le vin très peu cher, ils ont gagné en temps de loisirs. Ils sont directement passés du cheval au Roundup de Monsanto. Ils ont vendu le cheval en 1969 et ils ont désherbé en 1971. »

Mais, à son retour, Puzelat était inflexible. « Au début il y a eu un peu de bagarre ; la condition de mon retour, c'était que mon père se retire. Ç'a été un peu douloureux entre nous. Il a fait deux, trois ans de déprime suite à ça et puis finalement tout est rentré dans l'ordre quand il a vu que ce qu'on faisait était valorisé, reconnu. Il y a toujours cette question de remise en cause de ce qui a été fait. C'est une histoire classique de transmission. Mais, finalement, quand il a compris, il était fier de nous et il aimait nos vins.

« Et il en a bu jusqu'à sa mort. »

Sur l'idée du vigneron rebelle et créateur, pourtant, Puzelat est aussi réticent que Marquet. « Je pense que la nature nous dépasse totalement et ce que j'essaie de faire de plus en plus, c'est qu'on ne s'aperçoive pas de notre intervention. Et que ce soit le plus transparent possible. Je pense que, quand on est plus jeune, on a besoin d'affirmation. Ça nous pousse à faire des trucs plus démonstratifs ou spectaculaires. Quand on commence à avoir un peu de compréhension de ce qu'est un terroir ou un millésime, on s'efface derrière. Le mot d'artiste m'agace toujours un peu. Il y a des vignerons qui le prétendent mais je trouve ça prétentieux. On n'est vraiment pas pour beaucoup dans le résultat d'une bouteille. L'essentiel se passe dans les vignes en termes de travail. Je pense qu'on doit tous tendre vers ça, si on veut défendre l'idée que chacun de nos vins est unique et non reproductible. »

Est-ce un hasard si c'est ici la notion d'originalité qui constitue la base de la définition de l'« œuvre », selon le code de la propriété intellectuelle ?

5

Artiste, artisan… artisaniste ?

« Sed quis custodiet ipsos custodes[1] *? »*

Les Anciens

Depuis l'Antiquité jusqu'à la crise existentielle qu'ils traversent aujourd'hui, les artistes ont toujours navigué en fonction des contextes et de leurs besoins, entre la Charybde-soumission-au-pouvoir-politique et la Scylla-misère-et-rejet.

Mais les racines du statut social des artistes se mêlent aux racines de la démocratie. Les trois grands tragédiens athéniens du ve siècle av. J.-C., et le seul poète comique dont les textes nous soient parvenus peuvent nous donner une certaine idée du statut des artistes à Athènes, dans la première démocratie.

Eschyle incarnait certainement le modèle de l'artiste héroïque, engagé, au service de la communauté. Fils de très bonne famille, combattant à deux reprises lors de guerres victorieuses contre les Perses (en - 490 et - 480), il a été

1. « Mais qui gardera ces gardiens ? »

couronné treize fois aux très populaires festivals de théâtre. C'était une star reconnue avant l'heure, mais aussi une conscience morale solide pour ses concitoyens. Sa dernière pièce, *Prométhée enchaîné*, nous donne un des premiers portraits de l'artiste dans son rôle politique et ce rôle est celui d'un martyr de la liberté. Le demi-dieu Prométhée, inquiet de l'état barbare de l'homme, décide de voler le feu aux dieux et de le donner aux hommes pour qu'ils puissent se civiliser et se libérer. Le feu c'est l'énergie, le pouvoir, la technique, l'autonomie des hommes vis-à-vis des dieux. Pour cet acte de rébellion émancipateur, il est puni par les divinités, attaché à un rocher en haut d'une montagne dans le Caucase (probable lieu d'origine du vin) où, chaque jour, un aigle vient lui ronger le foie qui se reconstitue pendant la nuit. Celui que nous appelons aujourd'hui l'artiste a eu pour les Athéniens, les premiers à concevoir et à pratiquer une forme de société démocratique, un rôle essentiel dans leur société. Il a été celui qui a libéré ses semblables des croyances et des pouvoirs archaïques, même s'il est difficile de séparer la vanité de l'artiste mégalomane du geste désintéressé accompli pour le bien commun.

Nés une génération après Eschyle, Sophocle et Euripide venaient de familles plus modestes, mais ils étaient les contemporains exacts de Périclès, le modèle de l'homme de pouvoir juste. Leur travail et la reconnaissance qu'on leur accordait allaient de pair avec la santé de la démocratie athénienne. Dans la seconde partie du ve siècle av. J.-C., nous assistons ainsi à l'émergence d'un premier idéal de l'artiste conçu comme garant de la conscience civique. Aristophane, le poète comique, féroce satiriste politique et culturel (mêlant Marx Brothers, Monty Python et Adam Sandler...), était constamment menacé de procès par les puissants de la cité. Mais il a toujours été protégé par ses concitoyens. Cependant, la chute vertigineuse de la puissance athénienne (politique et culturelle), lors de la guerre du Péloponnèse, et la marginalisation progressive des artistes étaient pressenties – sinon encouragées – par un contemporain d'Aristophane, Platon.

Dans la *République*, texte sauvagement antirépublicain, Platon souhaite les exclure de la cité. Il les distingue des artisans, en pointant la réalisation matérielle des œuvres. Platon sépare le *teknetes* qui les fabrique selon des plans (l'idée contemporaine de l'artisan) et le *poietes* qui les fabrique selon son imagination (l'artiste). Il conclut que, comme l'artiste fabrique à partir de son imagination, il produit des illusions, de fausses choses. Il est trop dangereux pour la vérité et la raison indispensables dans la cité. L'artiste est par nature incontrôlable, comme l'imagination, donc dangereux. C'est une ironie terrible qui va se répéter souvent dans l'histoire, car Platon est lui-même l'expression du génie artistique (et imaginatif) qu'il dénonce.

Pendant l'ère romaine, les artistes, principalement les poètes (Horace, Juvénal, Virgile, entre autres), étaient soucieux de leur position fragile face à la République ou à l'empereur, et le rapport entre création et pouvoir était nettement moins vigoureux, comme l'exercice de la liberté des citoyens. Y a-t-il un lien entre la disparition de la civilisation antique et l'absence d'esprit contestataire chez ses artistes ? En tout cas, peu à peu, l'artiste va disparaître du paysage occidental avec la chute de l'Empire romain. L'art devient anonyme, collectif ; il s'efface derrière l'importance de son sujet divin ou historique.

Les moins anciens

L'artiste, endormi (ou sublimé par Dieu) dans son statut largement anonyme pendant presque mille ans, réapparaît en partie au XIIe siècle, sous les traits du troubadour. Le nom « troubadour » signifie « trouveur », et c'est une référence à laquelle il est important de repenser aujourd'hui. Contrairement aux ménestrels qui sont des serviteurs (des ministres, au sens idéal du terme), et qui jouent et interprètent des textes écrits par d'autres, les troubadours sont des *inventeurs* de textes et en tirent un statut social important ; leur nom rayonne dans le pays, on raconte leurs *vidas* (*vies*). Ce qu'ils mettent en beauté est déjà là, préexiste, ils le découvrent et le font fleurir, le transforment en objet de délectation, de plaisir et de réflexion. Ils sont, en quelque sorte, des vignerons.

Cependant, cette liberté et cette humilité de trouveurs ne les protègent pas du pouvoir. Les troubadours sont attachés à une cour, protégés par un seigneur ou un prince ou bien ils vont de cour en cour pour y placer leurs « *trobars* », c'est-à-dire leurs poèmes. Ils peuvent parfois être nobles et riches, et même seigneurs comme Guillaume IX d'Aquitaine, ou pauvres et dépendants d'un puissant, n'ayant que leur talent et leur charme pour vivre, comme Bernart de Ventadour, fils d'une boulangère et d'un homme d'armes.

Écoutés comme des sages, il arrive souvent que les troubadours participent au débat politique et critiquent le prince. Leur statut d'intellectuels tient à leur talent d'inventeurs, habiles à manier les mots et les idées. Et bien que sous la tutelle d'un prince, le plus souvent, ils savent faire respecter leur indépendance, comme en témoignent ces vers du troubadour Cerverí de Girona (1259-1285) :

« Et je tiendrais le roi pour ennuyeux

« S'il m'appelait quand je fais une si belle journée [de travail]

« Ou s'il me faisait demander alors que je n'ai pas plaisir de le voir

« Car je mourrais si je n'avais pas la méditation [concentration intellectuelle]

« Et je dis à ceux qui m'interrogent : "Qu'en pensez-vous Cerverí

« "Avons-nous quelque divertissement ?

« "Laissez-moi donc en paix, messire, je compose des couplets[1] !" »

La recréation de l'artiste

Plus tard, le mot « artiste » lui-même va apparaître dans le domaine des arts visuels, et sa naissance (ou renaissance) va emprunter la voie ouverte par le modèle du troubadour. C'est en devenant un « intellectuel » et un « poète » que l'artisan peintre va devenir un artiste peintre, à la Renaissance, en Italie.

Les beaux-arts (peinture et sculpture) étaient initialement classés dans les arts mécaniques, plus manuels qu'intellectuels. Pour gagner en prestige et assurer aux artisans qui les pratiquaient un statut plus indépendant et plus noble, pour exalter aussi les qualités humaines de « créativité » et de « virtuosité », en plein humanisme, il leur a fallu passer du côté des arts libéraux, c'est-à-dire des arts intellectuels. En effet, aussi étonnant que cela paraisse aujourd'hui, au Moyen Âge, un géomètre pratiquait un art noble, intellectuel, mais un peintre un art inférieur. Et sans doute, sous certains aspects, avait-on raison.

Durant la Renaissance, en Italie, la peinture est pleinement devenue ce que Léonard de Vinci appelle *una cosa*

---

1. Gérard Zuchetto, « Petite introduction au monde des troubadours XIIe-XIIIe siècle. À l'aube de la littérature moderne… » (http://www.musicologie.org/publirem/gerard_zuchetto_01.html).

mentale (*une chose intellectuelle*). Les *vite* (*vies d'artistes illustres*) de Vasari, en 1550, font écho aux récits de Pline l'Ancien et aux *vidas* des troubadours et contribuent à valoriser les artisans italiens (surtout toscans), faisant d'eux de grands techniciens habités d'une puissance singulière, jouissant d'une renommée méritée et d'une sorte de nouvelle sainteté. Des troubadours modernes.

C'est un Toscan, Dante Alighieri, qui utilise le premier le mot « *artista* », au XIVe siècle, dans le chant XIII du *Paradis.* Il en fait celui qui veut (mais ne peut pas toujours) inscrire les splendeurs du ciel dans la matière. Et c'est un Italien encore, Michel-Ange, qui consacre le mot « artiste » dans son sens moderne, avec son sonnet l'« *Ottimo artista* », adressé à Vittoria Colonna et publié en 1623, soixante ans après sa mort. En se faisant poète, en inventant à partir des mots et non plus seulement de la matière, le peintre ou le sculpteur italien gagne donc définitivement le statut d'artiste. Dans son sonnet, il met justement en avant la dimension intellectuelle du travail manuel :

> *Le grand artiste ne conçoit nulle idée*
> *qu'un bloc de marbre en soi ne circonscrive*
> *de sa gangue et seule la concrétise*
> *la main obéissant à l'intellect*[1].

Bien que formulés à la fin du XVIe siècle, c'est donc au début du XVIIe siècle, en 1623, qu'apparaissent vraiment le nom et le statut de l'artiste moderne. La même année en Angleterre, sept ans après sa mort, William Shakespeare incarnera une des toutes premières figures du grand artiste

1. Cité en français par Édouard Pommier, *Comment l'art devient l'Art dans l'Italie de la Renaissance*, Paris, Gallimard, 2007.

littéraire, reconnu par un public large, à l'occasion de la première publication de ses œuvres complètes. Son autorité intellectuelle est fondée sur l'invention de formules verbales devenues très vite célèbres et « shakespeariennes ». Il n'est pas un écrivain de cour, il est engagé par contrat comme comédien et auteur, au *Theatre,* dans la troupe de James Burbage appelée alors les *Lord Chamberlain's Men*, du nom du ministre des divertissements royaux, leur mécène. Il va écrire et jouer exclusivement pour elle.

Mais c'est dans la fondation de l'Académie royale de peinture et de sculpture, en France, en 1648, que l'artiste moderne prend sa véritable forme. Il s'agissait alors, pour une douzaine de peintres « autonomistes », de sortir pour de bon de la corporation artisanale. Ils voulaient accéder à une indépendance intellectuelle et esthétique.

Le statut de l'artiste moderne se construit donc *contre* celui de l'artisan. C'est ce rapport et cette opposition dynamique qui restent aujourd'hui bien ancrés dans les mentalités quand il s'agit de définir les statuts des artistes ou des artisans. Nombreux sont ceux qui disent que l'un remplit un cahier des charges, effectue une commande (l'artisan), quand l'autre « invente » ou même « crée » un objet (l'artiste). Cette distinction reprend celle de Platon mais en valorisant l'imagination de l'artiste. En fait, la distinction entre artiste et artisan est un enjeu de pouvoir et non une question d'essence. Et les vignerons naturels nous indiquent pourquoi.

Au XVIIe siècle, il y a alors des peintres-artisans qui appartiennent aux corporations, font des portraits et répondent à des commandes, avec des échoppes et des revenus corrects, et des peintres-artistes qui sont « indépendants », fréquentent l'Académie des beaux-arts, qui ont des clients prestigieux et abordent la peinture comme un acte esthétique destiné à la recherche de la beauté.

Un des problèmes concrets que pose aux peintres le passage de l'artisanat à l'art est celui de la commercialisation des tableaux. L'artisan a pignon sur rue, il a son échoppe. L'artiste, en intellectualisant son travail, devient un professeur, un savant, un croyant, mais il doit trouver un débouché nouveau pour ses œuvres quand le mécénat privé diminue. Les salons, qui commencent en 1673, sont donc le complément naturel de l'Académie. Ils jouent pour les artistes le rôle que joue l'échoppe pour les artisans, leur offrant une surface d'exposition pour vendre leurs œuvres et se faire un nom. Ils trouveront leur prolongement dans les festivals.

Le temps des prophètes

Alors que la religion chrétienne a été remise en cause de manière radicale par le XVIIIe siècle, c'est vers les peintres, les poètes et les écrivains que les attentes des croyants vont progressivement se tourner. Après tout, des écrivains n'ont-ils pas changé la face du monde en provoquant la Révolution française ? Le projet philosophique de l'*Encyclopédie* n'a-t-il pas été le foyer des idées modernes ? Voltaire, Rousseau, Montesquieu, Diderot n'ont-ils pas été les saints patrons (involontaires) de la Révolution ? Le nouveau pouvoir des journaux n'a-t-il pas été décisif ? Le monde issu de la Révolution n'est-il pas le fruit de la pensée des hommes ? Un monde créé par l'Homme et non par Dieu ? En tout cas, on y retrouve le rapport athénien entre l'idéal de la liberté de l'artiste et celui de la liberté civile.

Paul Bénichou a appelé ce moment romantique postrévolutionnaire « le temps des prophètes », on pourrait dire aussi des « interprêtres ». L'artiste va progressivement remplacer le prêtre dans le grand travail d'explication du monde et de la relation avec l'au-delà, avec l'invisible, avec l'origine des choses. Mais est-il vraiment fiable pour accomplir cette tâche ?

Pour s'en convaincre et convaincre les autres, il se donne corps et âme à son art. Le côté salvateur et le sacrifice personnel seront souvent mis en avant dans la trajectoire des artistes romantiques, la mort tragique de Byron à Missolonghi en étant le summum.

Il commence à prendre la place de Dieu, ce dernier étant de plus en plus écarté par une société chaque jour plus industrialisée, urbanisée, alphabétisée et laïcisée. L'artiste devient un démiurge. De « trouveur » il devient « créateur ». C'est peut-être là le problème. Perché sur le piédestal qu'il s'est construit, il commence à se couper de ses racines, du sol, du peuple. Représenter le monde n'est plus se soumettre aux exigences d'une réalité collective et concrète, mais le tableau devient une recréation d'un monde de plus en plus autosuffisant.

Le peintre le plus emblématique de cette captation de la nature par le moi (le « selfie spirituel » ?) serait Caspar David Friedrich, déjà évoqué au sujet de Wim Wenders. Ses tableaux reflètent un monde complètement recréé à l'image de son intériorité douloureuse. Marqué par des deuils familiaux, il donne à voir un monde en ruine, une nature abandonnée, des hommes livrés à leur solitude, où émergent çà et là un crucifix, une élévation, qui renvoient à la transcendance de Dieu (ou du moins de l'artiste lui-même). « Le peintre ne doit pas peindre seulement ce qu'il voit en face de lui, mais aussi ce qu'il voit en lui », dira

Friedrich, exprimant l'injonction nouvelle du romantisme : être la source de tout et se projeter en tout.

Dans le vin, on a vu le vigneron remplacé par – ou devenu – l'œnologue : l'homme qui domine et refait la nature. À l'inverse, le vigneron naturel, en réaction, n'est pas la source de son vin. Il est un intermédiaire entre la nature et la culture. Il permet, trouve, traduit.

Au XIXe siècle, l'artiste devient une figure essentielle du paysage culturel pour la bourgeoisie émergente, liée à l'alliance de la démocratie et du marché. Mais, de leur côté, les artistes, de Baudelaire à Van Gogh, cherchent avant toute chose à se distinguer des bourgeois, à travers une vie de bohème, libre, amorale et méprisant l'argent.

Contrairement au bourgeois qui calcule et vise à enrichir son patrimoine, c'est l'engagement total et dépensier de tout son être qui fonde le statut de l'artiste moderne. L'artiste, le vrai, est celui qui conteste, qui s'oppose au pouvoir par nature, de Rimbaud à Oscar Wilde. L'artiste est celui qui a suivi une vocation profonde et authentique et qui s'est décrété « artiste ». Jusqu'à la seconde moitié du XXe siècle, c'est sa vie, bien plus que sa fortune, qui témoignera de sa réussite intime, spirituelle, artistique, même si le public ne suit pas toujours. Van Gogh en est l'emblème.

Ergo sum

Mais aujourd'hui, devant une telle crise de légitimité et une telle menace existentielle, une seule question vaut la peine d'être posée : comment l'artiste du XIXe siècle, voué à son art et opposé au mode de vie bourgeois, est-il devenu, au cours du XXe siècle, l'artiste star, le grand conformiste, rentabilisant sa propre image ? Cette question se pose avec une terrible ironie, car jamais autant d'artistes et d'acteurs culturels – en herbe ou confirmés – ne se sont retrouvés sans moyens de gagner leur vie et sans espoir pour leur avenir.

Cela commence peut-être quand les artistes découvrent que la postérité artistique peut avoir un équivalent immédiat et plus agréable dans la célébrité. Et que la célébrité peut devenir une source de profit considérable puisque c'est une sorte de *postérité immédiate*. Il est donc possible de travailler à la fois pour la postérité et pour l'argent (pour détourner le concept d'Orson Welles). D'autant que l'émergence de l'industrie du tout jeune cinéma, à Hollywood, dans les années 1915-1920, et le développement d'une industrie médiatique fondée sur l'illustration, le désir et la publicité, vont fournir les éléments du star system, dont Welles, « *boy genius* », auteur de *Citizen Kane* à vingt-cinq ans, est un des premiers exemples.

Au début du XXe siècle, avec Picasso, naît un nouveau modèle. L'artiste redevient commerçant, mais pas un petit commerçant, plutôt un trader avant l'heure. Il apprend à augmenter la valeur de son œuvre en jouant sur sa signature. Il produit frénétiquement, et accompagne la valeur de son travail sur le marché et glisse, travaille, joue dessus. Sans doute était-il surtout motivé par l'idée de l'importance de son propre moi. Héritant de la gloire de l'artiste, au sens du XIXe siècle, il commençait à jouer quand même sur la fétichisation de l'art au sein du public bourgeois et sur l'attachement à la valeur marchande des choses.

Un exemple radical de ce phénomène est sans doute Salvador Dalí. Après la Seconde Guerre mondiale, il est le premier artiste à créer pour créer de la valeur marchande, de manière cynique et consciente. Il ressemble beaucoup plus à un banquier et à un spéculateur qu'à un artiste qui suivrait le modèle héroïque de Byron ou le modèle sacrificiel de Van Gogh.

Ezra Pound, le grand poète et inventeur de la modernité anglo-saxonne, avait bien compris, au début du XXe siècle, que Dieu et le sublime étaient remplacés par l'argent et que prêtres et artistes avaient cédé leurs rôles aux banquiers. Mais, au lieu de sombrer ensuite dans une défense du fascisme mussolinien en fustigeant des banquiers juifs fantasmatiques, il aurait mieux fait de constater la vraie dérive morale, celle du passage de l'art vers l'*art*-gent, et d'appuyer son jugement sur l'ambiguïté des relations de Dalí avec Franco.

Après Dalí, Warhol représente une rupture totale. Son discours personnel comme celui de ses œuvres deviennent en soi des valeurs marchandes. Il abandonne l'idée du contenu et de l'objet lui-même ; l'œuvre d'art devient *a priori* une forme de spéculation financière déclarée.

Il ouvre la porte à tous les dérapages postmodernistes des années 1970 et surtout 1980, qui trouvent leur apothéose avec Jeff Koons, le trader devenu machine à cash « artistique », allant de pair avec l'avènement de l'art conceptuel où seules deux choses comptent : le discours et la valeur marchande. L'objet est complètement désincarné et infiniment reproductible, tout en retenant, sans aucune logique sinon celle de son prix, son aura d'« objet unique ». Cette impasse constitue une *reductio ad absurdum* de l'importante méditation de Walter Benjamin, en 1936, sur la perte de l'aura propre à l'œuvre unique dans *L'Œuvre d'art à l'époque de sa reproductibilité technique*.

Dans le domaine de la littérature, le phénomène est plus ambigu mais, après guerre, on voit la fortune des écrivains exploser. Des auteurs comme Arthur Miller deviennent des célébrités en épousant des stars comme Marilyn Monroe. Certains écrivains deviennent eux-mêmes des stars, la presse illustrée, florissante et colorée, se fait le relais photographique de leur vie glorieuse. Ils ne sont plus des héros, ils deviennent des mythes vivants. Et c'est à la mythologie grecque que des intellectuels comme Edgar Morin ou Roland Barthes se réfèrent pour évoquer les stars des années 1950, parmi lesquelles on trouve l'écrivain en vacances, l'écrivain en famille, l'écrivain aux sports d'hiver. Et bien sûr la saga Picasso et les frasques de Dalí.

Quand j'ai tourné un petit documentaire, *Searching for Arthur*, sur la mise en scène au cinéma avec Arthur Penn (réalisateur de *Bonnie and Clyde*, *Little Big Man* et son chef-d'œuvre jamais reconnu, *Night Moves*, avec Gene Hackman), j'ai bien senti la méfiance de Penn à se révéler devant ma caméra. Compte tenu du fait qu'il avait passé sa vie, de l'Actor's Studio, dans les années 1950, à Hollywood dans les années 1960 à 1990, à pousser les autres à se révéler, j'ai trouvé cela assez drôle. Mais, en fin de tournage, il m'a confié deux choses qui m'ont beaucoup frappé.

Filmant dans un taxi à la fin d'une journée épuisante pour nous deux (chasseur et chassé), je lui ai demandé qui il aurait choisi comme réalisateur maître, s'il était à ma place trente ans avant. « Kazan, m'a-t-il répondu. – Et qu'est-ce que vous lui auriez demandé pour qu'il se révèle vraiment ? » Penn, en vieux renard, avait sans doute anticipé toutes mes questions. Mais il se pliait au jeu. Ou il cédait à la fatigue. Il a regardé dehors et puis il m'a répondu : « Je lui aurais demandé ce qui le rend mal à l'aise… à titre personnel… Mais je ne sais pas s'il m'aurait répondu. » On se regardait. Il ne souriait pas mais je le sentais là tout de même et je lui ai demandé de me répondre comme il aurait voulu que Kazan le fasse. Il observait la pénombre crépusculaire de l'Upper West Side, les phares chauds des autres taxis qui jetaient une lumière typiquement new-yorkaise (envahissante mais pas désagréable) sur son visage fatigué. « Je dirais d'abord que j'aimerais avoir plus de talent. Quand je regarde Fellini, quand je vois les films de De Sica, Rossellini, je me dis que je n'aurais pas eu le courage de les faire. Je le sais. Pourtant j'ai de l'appétit pour ces films-là. Mon ambition dépasse mes capacités. »

Ému, étonné, émerveillé même par sa confession, j'ai pensé à ce qu'il m'avait dit quelques heures auparavant, quand je lui avais demandé si le succès mondial de *Bonnie and Clyde,* en 1967, l'avait changé. « Bien sûr. Mais c'était nouveau que les réalisateurs deviennent presque des stars. Il y avait une génération de jeunes gens informés sur les réalisateurs. On était une poignée… Altman, Scorsese – pas Cassavetes car il est toujours resté en dehors de tout ça, indépendant –, Francis (Coppola), moi… on a atteint une notoriété étonnante… »

Effectivement, dans les années 1970, arrive un moment de transformation important où le cinéaste, comme les autres artistes, suit le modèle émergent de la rock star. Qu'on la recherche ou non, les mouvements créés par Elvis Presley ou les Beatles montrent que la célébrité est un puissant levier financier au-delà du star system hollywoodien.

Les rock stars commencent à être le modèle de la célébrité artistique ; une industrie du divertissement se développe autour de cette starisation qui s'étend même à ceux qui ne se montrent pas, les artistes, les cinéastes. Ils deviennent des icônes médiatiques qui dépassent la condition de mortel, se coupent de la vie quotidienne des gens. Ils créent une nouvelle classe. Avec *MASH*, *Le Parrain*, ou *Taxi Driver*, les réalisateurs du nouvel Hollywood changent de cap. Hollywood détourne l'énergie « auteuriste » de la Nouvelle Vague, qui révolutionne en Europe l'économie du cinéma, pour donner naissance à une forme industrielle du statut d'auteur : l'auteur star. C'est un autre exemple de la récupération immédiate par la société du spectacle de tout geste novateur ou rebelle. Comme le disait Penn, seul Cassavetes a résisté.

Les stars ont droit à une vie « supérieure » : voler dans des avions privés, gagner beaucoup d'argent, fréquenter d'autres stars. C'est un milieu au-dessus des lois et de l'éthique communes, au-dessus des mœurs, comme le montre peut-être l'affaire Polanski qui prend racine dans ce nouvel Hollywood.

L'artiste devient vite millionnaire, ce qui motive de jeunes auteurs plus attirés par son style de vie que par son travail. On évalue un artiste à sa fortune et non à son œuvre. Et c'est cette situation qui lui a fait perdre du crédit dans l'espace civique. Pasolini, tout célèbre qu'il était, n'était pas une star fascinée par sa propre gloire mais un citoyen-artiste engagé. Et c'est parce qu'il s'en est tenu à son éthique de citoyen qu'il a conservé son crédit (comme Cassavetes) jusqu'à la fin violente de sa vie en 1975.

6

Zero Sum (Game)

« Jeu à somme nulle »

Ce qui est arrivé à l'artiste à la fin du XXe siècle, c'est ce qui est arrivé à tous les habitants des villes : la disparition de la matière physique. La distance croissante entre l'art et l'objet se reflète dans la distance entre les urbains et les choses concrètes de la campagne : ce qu'ils mangent, ce qu'ils voient sur les marchés et dans les supermarchés. Naturellement, l'artiste, ayant déjà pris la place du prêtre, au fil du déclin des religions au XIXe siècle, tente de prendre la place de ce qui a remplacé Dieu au cours du siècle suivant : l'argent. Depuis la fin du XXe siècle, l'artiste cherche à occuper la place symbolique et concrète que prend la spéculation financière dans la société.

La désincarnation de la culture tient aussi à une complicité inattendue et paradoxale. Pendant les années 1970 et 1980, est née une alliance objective entre les radicaux de droite et les autoproclamés radicaux intellectuels de gauche. Les premiers ont abandonné leur rôle de conservateurs pour devenir les plus grands destructeurs de l'idée même d'héritage et de transmission. Reagan et Thatcher ont incarné pour le monde entier le déclenchement d'un néolibéralisme sans frein qui nous a amené au spectacle de la spéculation financière d'aujourd'hui. Cette suite logique de la désincarnation allait paradoxalement de pair avec le mouvement déconstructionniste. Les vrais déconstructeurs rêvés par la pensée de gauche, c'étaient les acteurs politiques de droite, les rois de la finance. Il s'agit dans les deux cas de relativisme à outrance et de dénigrement implicite du travail manuel.

Combien de fois ai-je entendu, à New York, dans les années 1980, des « *fashion intellectuals* » (et non pas des « *intellectuals in fashion* ») – les poststructuralistes, déconstructionnistes, critiques d'art et universitaires postmodernistes autoproclamés – se moquer de tous ceux qui défendaient l'idée de l'authenticité et de la noblesse du travail manuel, individuel ?

Ces derniers, disaient-ils, n'avaient rien compris au progrès dans l'art, à l'économie virtuelle, à l'avènement de l'immatériel. Construire l'immatérialité comme une valeur en soi, n'est-ce pas le travail des déconstructionnistes ? C'est en tout cas comme cela que de grands penseurs tels que Foucault, Derrida et Deleuze ont été (mal) interprétés dans le monde anglo-saxon où la *French Theory* accompagnait *la mode* dans toutes ses expressions, surtout dans le monde de l'art (plus jamais) plastique.

Dans un sens, l'art conceptuel est parti du mouvement d'intellectualisation et de désincarnation déjà présent au XVIIe siècle, au moment où des artistes basculent de l'artisanat vers l'art, où ils renient leur origine (et leur essence) artisanale.

En 1980-1981, alors que je prenais des cours aux beaux-arts à Paris et à San Francisco, j'ai suivi le développement de l'art conceptuel (perversion facile des gestes légitimement subversifs de Duchamp au début du siècle). J'ai noté surtout que les artistes ne parlaient que d'une chose : le pouvoir. Tout était question de pouvoir. Même leurs relations de couple. En fait – et peut-être en est-ce une conséquence – le pouvoir a basculé à cette époque de l'artiste vers le critique. Inévitablement, le critique a remplacé l'artiste. L'art n'est plus que critique de l'art et se déplace dans les idées. On ne devrait donc pas s'étonner que les arts plastiques soient devenus si peu plastiques et si peu partagés par le monde extérieur à l'art, lui-même devenu un marché d'échanges de nombrils.

Dans les années 1990, des amis peintres m'amenaient de temps en temps chez Joseph Kosuth, un artiste conceptuel devenu célèbre dans les années 1980. Il habitait un immense loft sur Broadway à Soho, toujours garni d'une dizaine de jeunes personnes en noir, dont la moitié ressemblaient à des mannequins, mais en (encore) plus dur. J'avais surtout noté que la proximité de Soho avec Wall Street n'était pas uniquement géographique. Depuis les années 1980, quand un précurseur de Tarantino, Oliver Stone, en guise de critique de l'ascension matérielle et spirituelle des banquiers, dans *Wall Street*, les encensait, les lofts de Soho s'échangeaient librement – et sans changement de décor ni d'invités – entre traders et artistes.

Pas de surprise alors quand Kosuth explique en 2013, dans une discussion télévisée avec le marchand d'art Josh Baer : « Je fais différents types d'œuvres donc je propose différents types de prix. » Baer, naturellement, lui répond : « Je crois que, dans les années 1980, les artistes disaient que la qualité correspondait au prix, je suis aussi bon que tel artiste, donc mes prix ça doit être ça ! » Baer poursuit : « Je veux parler de Leon Golub et de Nancy Spero, parce qu'ils ne sont plus là pour se défendre et qu'ils sont de célèbres artistes engagés à gauche, et je peux vous dire qu'ils étaient plus préoccupés du prix de vente de leurs œuvres qu'aucun artiste avec qui j'ai travaillé[1]. »

Au cœur de tout cela, l'explosion de la bulle financière en 2008 apparaît vraiment comme la fusion sublime de la gauche et de la droite réunies. Elle est le fruit, de la part de la gauche, d'une trentaine d'années d'abandon de la défense de l'authentique comme acte de progrès (sachant que l'authentique est un graal, non pas un mal nécessaire), et, de la part de la droite, d'une trentaine d'années d'abandon d'une défense de l'authentique comme acte de tradition et de transmission.

Après les victimes directes de l'escroquerie financière des *subprimes*, certaines des victimes immédiates dans le monde d'après le krach boursier de 2008 ont été les acteurs-producteurs culturels. Dans un monde où les riches investisseurs trouvent de moins en moins de champs de spéculation lucratifs, le monde de l'art contemporain, déconnecté de toute réalité concrète et plastique, représente un vrai paradis fiscal pour toute invention et escroquerie financière. La création de valeurs marchandes *ad hoc* est non seulement légale, mais elle est fêtée comme un acte civique. C'est l'art de la spéculation *ex nihilo, pro nihilo*. À la suite de l'alliance gauche-droite contre l'authenticité, le dernier élément de la sainte trinité de la désincarnation est sans doute la numérisation du monde, la « télé-communisation » des relations humaines. Une relativisation sans limites.

---

1. Extrait de l'entretien « Art market vs Art history » accessible en ligne : https://youtube.com/watch?v=11YJ6b20bb0. Traduction des auteurs.

Christopher Glazek, inventeur du site culturel « post-Internet » et sans doute « post-ironique » Genius.com, révèle très bien les mécanismes de ce monde, et surtout son esprit. Dans un article de janvier 2015 paru dans le *New York Times*, il louvoie parfaitement entre moquerie et admiration. Racontant la vie quotidienne de Stefan Simchowitz, un des nouveaux dealers-collectionneurs d'art « post-Internet », il écrit : « Bien que les profanes puissent regarder un Richter à 30 millions de dollars et le comparer à des éclaboussures d'un élève de grande section de maternelle, les prix des œuvres de Richter sont fixés non pas au hasard mais par le dispositif académique, médiatique et institutionnel que le monde de l'art a élaboré pour établir les prix et profiler la nouvelle génération d'acteurs culturels. Les collectionneurs proviennent traditionnellement des strates supérieures du monde des riches. Ce sont des personnes qui cherchent à échanger leur argent contre du prestige social, en participant aux rituels institués du monde de l'art. Au cours des dernières années, cependant, une nouvelle classe de spéculateurs a émergé avec des objectifs moins raffinés ; ils sont moins intéressés par un voyage à Bâle pour participer à un dîner mondain que par un *ride* sur la vague économique qui a mis le marché émergent de l'art contemporain en surtension durant la dernière décennie. »

Glazek poursuit sa journée avec Simchowitz qui collectionne en vrac des centaines de jeunes artistes dans le seul but de parier sur le marché futur, un « *future market* » à l'image de celui des « *commodities* ». Il écrit : « Nous sommes allés rendre visite à Petra Cortright, un des "investissements" les plus prometteurs de Simchowitz et une figure majeure dans ce qu'on appelle l'art post-Internet. Simchowitz utilise ce terme comme un marqueur générationnel pour décrire la manière dont l'histoire de l'art apparaît "aplatie" aux artistes les plus jeunes. Il explique ainsi : "Quand ils tapent le mot *arbre* sur Google, ils trouvent un millier d'images d'arbres : une image d'un arbre peinte au XVIIIe siècle, un arbre photographié l'année dernière ou encore le dessin d'un arbre. Il y a un écrasement du temps." Dans la mesure où ce "post-Internet" définit parfois une sensibilité, vous pouvez dire qu'il est une donnée positive. C'est un mélange de satire et d'admiration, une préférence pour la popularité plutôt que pour l'exclusivité, et un rapport décomplexé à la gloire et au succès. »

L'auteur de l'article, étant lui-même sans doute une expression de la culture qu'il est censé critiquer (ou dont il souhaite apparaître à la fois comme critique *et* avatar), continue : « En novembre 2014, deux peintures digitales effectuées par Cortright sur aluminium ont été revendues aux enchères par Phillips et Sotheby's pour 40 000 et 43 750 dollars après avoir été achetées à moins de 13 000 dollars lors d'enchères en juillet. »

Simchowitz affirme qu'il ne doute pas un instant que les peintures de sa protégée franchiront finalement la barre du million de dollars (un accomplissement qui la placerait en compagnie d'à peine deux mille autres artistes dans l'histoire). Mais une trajectoire alternative pour Cortright pourrait tout aussi bien ressembler à celle de son vieil ami et partenaire d'atelier Parker Ito, un autre « investissement » de Simchowitz, qui avait vendu une peinture 80 000 dollars lors d'une enchère en juillet, mais dont les treize enchères suivantes avoisinèrent tout juste les 30 000 dollars. Sans compter que, dans trois autres, son travail ne s'est pas vendu du tout.

Qui est mieux placé alors pour arriver à ce jugement définitif que l'auteur de cet article : « Donner une valeur à l'art est un pur jeu de confiance – il n'y a pas de critère absolu pour justifier le prix d'une peinture, parce qu'une peinture en soi ne produit pas de revenus. Les artistes émergents sont comme des start-up ; la plupart vont finir par ne rien valoir, mais l'un d'eux peut devenir le prochain Jeff Koons. Quand les prix d'un artiste sont en surchauffe, cela peut paradoxalement créer une panique et faire imploser son marché. De jeunes artistes annoncés comme étant les prochaines grandes découvertes peuvent très vite être jetés à la poubelle. Comme l'explique Riedl (ex-mannequin, ex-femme, mais toujours partenaire en affaires, de Simchowitz), « le problème avec les spéculateurs c'est qu'ils penchent de tous les côtés et que le jeu devient celui des chaises musicales. Quand ils ont atteint le maximum de ce qu'ils peuvent tirer d'un artiste, ils le jettent, leur job est fait et l'artiste est foutu. Il ne reviendra jamais à un prix raisonnable.

Il est cuit, vide, fini ».

7
La CHIMIE et la CHIMÈRE

Devant une certaine faillite de l'artiste, devant la désincarnation de l'art, on peut trouver dans le mouvement non déclaré des vignerons naturels une matérialité réparatrice. Réparatrice de notre lien au monde, de notre lien à la nature, de notre lien à nous-mêmes.

La radicalité de leur travail est une réponse claire à une autre forme de désincarnation : l'avènement de la chimie dans l'agriculture moderne. Cette chimie a transformé le vin et la plupart des aliments en chimères. La grande distribution ainsi que la plupart des magasins spécialisés de quartier nous proposent des concepts de tomates ou de concombres, des apparences de fruits et de légumes, des viandes vides, plus que des produits charnus, savoureux et « alimentaires ».

Si le vin a une histoire vieille de huit mille ans, on peut dire que, pendant sept mille neuf cent cinquante ans, il n'y avait sur toutes les tables et dans tous les verres que du vin « naturel ». Ce n'est qu'après la Seconde Guerre mondiale que le vin – comme les céréales, les fruits et les légumes – est devenu « autre chose ». Il est donc complètement faux de parler de l'agriculture chimique comme étant celle qui serait « conventionnelle » ou « traditionnelle ». L'industrialisation chimique de la viticulture, comme de toute l'agriculture, entre les années 1950 et les années 2000, a eu une double conséquence dramatique : la dévastation de la vie biologique des sols par les produits phytosanitaires, ce qui a provoqué la disparition de l'expression du terroir, et ainsi l'empoisonnement technico-chimique des vins et de tous nos aliments.

99 % des vins du monde sont faits avec une quantité importante de molécules de synthèse. Les vignes, partout, sont arrosées d'herbicides, de pesticides, de fongicides. Ensuite, en cave, le deuxième assaut est mené par des centaines d'additifs chimiques et des manipulations technologiques qui garantissent que les vins dits conventionnels ont de moins en moins de liens avec le raisin, la terre, le terroir, la nature. Même la plupart des vins dits « biologiques » (selon la réglementation chimérique de Bruxelles) subissent des additions et des interventions qui les dénaturent, comme l'ajout de levures de laboratoire, qui opère une transformation du jus de raisin digne du Dr Frankenstein, et l'ajout d'une quantité de soufre qui tuerait ensuite sa monstrueuse créature. Et c'est ce « vin » chimère, « bio » ou non, que nous buvons depuis cinquante ans.

Bien sûr, ce n'est pas la première fois dans l'histoire qu'on encourage la production d'un vin trafiqué. Les Romains édulcoraient leurs vins avec des centaines de produits, parmi lesquels le plomb. Ils aimaient tellement le vin plombé (effet de sucre) qu'il a sans doute contribué au déclin de l'empire. Selon Edward Gibbon, vénérable auteur au XVIIIe siècle de la célébrissime *Histoire de la décadence et de la chute de l'Empire romain* (chronique qui pourrait facilement remplacer notre journal quotidien aujourd'hui), ce vin trafiqué menait au saturnisme et à la folie, pathologies dont certains empereurs auraient été victimes.

Il serait illusoire d'imaginer que le vin a toujours été partout une transformation du jus de raisin pure et fidèle à son origine locale. Les Bordelais du XIXe siècle étaient connus pour « hermitager » les plus grands crus, c'est-à-dire ajouter des vins du Sud à leurs propres jus, pour leur donner plus de matière. Malgré tout, la fidélité de la nature du raisin vis-à-vis de son origine agricole avait été garantie pendant huit millénaires.

Ce n'est qu'après la Seconde Guerre mondiale que la chimie a envahi l'agriculture. On a appelé cela la révolution verte, mais c'était plutôt une guerre noire. D'ailleurs, les deux domaines sont intimement liés ; les origines de l'armement militaire moderne et de l'industrie agrochimique se mêlent et remontent à la Première Guerre mondiale. L'industrie chimique, à cette époque, n'est pas militaire, ou agricole, ou pharmaceutique. Les grands groupes ont toujours opéré – et opèrent toujours – sur tous les marchés en même temps, capables de produire une maladie et son remède.

Produire une maladie et son remède, en boucle, c'est en quelque sorte l'histoire du XXe et (pour le moment) du XXIe siècle.

C'est le cas de l'entreprise allemande Bayer qui a produit de l'aspirine pure en 1897, de l'ypérite (le terrible gaz moutarde) pendant la Première Guerre mondiale et qui a aussi inventé le polyuréthane à la fin des années 1930. Elle commercialise aujourd'hui des pesticides qui rendent les agriculteurs (et leurs clients) malades, à côté de nombreux médicaments qui sauvent des vies. L'essentiel est de trouver des débouchés économiques pour des produits de synthèse qui ont longtemps bénéficié d'une aura moderniste puisqu'ils prouvaient l'intelligence de l'homme et les progrès de la science.

Deutschland *Haber* Alles

Emblématique et profondément troublante est l'histoire de l'ammoniac de synthèse, obtenu par l'Allemand Fritz Haber. La vie extraordinaire de Haber – hollywoodienne dans la forme, antihollywoodienne dans le fond (ou l'inverse ?) – cristallise la manière dont le XXe siècle a dessiné le sort de l'humanité.

Tout au long du XIXe siècle, les idées de Thomas Malthus sur le problème de la surpopulation ont macéré dans les consciences progressistes pour culminer à la fin du siècle dans la question qui préoccupait tous les grands pouvoirs : comment nourrir la population mondiale ? Malthus avait pronostiqué que la croissance de la population porterait l'humanité à un choix de survie entre la famine ou la guerre. L'inquiétude, aussi croissante que les populations, s'est exprimée en 1898 à travers le scientifique sir William Crookes, président de la British Association for the Advancement of Science. Il voyait venir la catastrophe alimentaire pour les prochaines décennies. « La croissance de la population dépasse largement la capacité de moisson des États-Unis et de la Russie, principaux pays producteurs de blé, qui se verront obligés d'arrêter leurs exportations pour subvenir à leurs besoins. En plaidant donc pour une intensification de la production de blé en Angleterre, le savant pose cette question : où trouver les engrais azotés nécessaires ? Inutile de compter sur les réserves sud-américaines de guano et de salpêtre du Chili, proches de l'extinction, avertit-il. La seule solution consiste à fabriquer des engrais azotés à partir de l'ammoniac, en prélevant l'azote nécessaire dans l'atmosphère, réserve inépuisable[1]. »

Au moment où paraissent ces lignes, Fritz Haber, né en 1868, chimiste prussien et patriote de la nouvelle fédération allemande, est sur le point de fabriquer cet engrais azoté, un produit qui sera vendu à bas prix et promet de fournir de la nourriture en grandes quantités. En 1909, il vend un brevet à l'entreprise chimique allemande BASF pour la fabrication d'ammoniac synthétique. Le futur géant de la chimie mondiale (numéro un en 2014, devant Dow Chemical, Exxon et Monsanto avec 75 milliards de dollars de chiffre d'affaires) lance alors ses équipes de chimistes dans les applications industrielles de l'ammoniac. Il améliore rapidement le procédé de Haber(-Bosch) et construit une grande usine à Oppau. Cet engrais de synthèse fabriqué en Allemagne est censé libérer l'empire émergent de sa dépendance vis-à-vis du salpêtre chilien et doit permettre d'éviter des famines. Mais le destin « philanthropique » de l'usine va changer car, avec la base de l'ammoniac, on peut aussi obtenir de l'acide nitrique, indispensable pour fabriquer des explosifs et des munitions.

Quand la guerre éclate, en 1914, il faut très vite trouver des moyens de fabriquer des tonnes d'acide nitrique par jour pour subvenir aux besoins de munitions de l'armée allemande. En 1915, l'usine BASF d'Oppau en produit 150 tonnes par jour. Fritz Haber travaillera désormais exclusivement pour BASF, mise au service de l'armée allemande.

Il sera le premier à mettre au point des gaz de combat, avec quatre collègues qui deviendront aussi prix Nobel de

1. Arkan Simaan, « Fritz Haber : chimiste à double visage », *SPS*, journal de l'AFIS (Association française pour l'information scientifique), n° 269, octobre 2005.

chimie après la guerre. Il décidera notamment d'utiliser le chlore que BASF sait rendre liquide et qui présente toutes les qualités requises pour massacrer massivement son ennemi. Le 22 avril 1915, Fritz Haber, doté de pouvoirs militaires, dirige donc personnellement la première attaque au gaz près d'Ypres en Belgique. 150 tonnes de chlore font environ 5 000 morts dans les rangs français en quelques heures.

Sa femme, Clara Immerwahr, chimiste juive convertie au protestantisme luthérien, comme lui – mais pacifiste –, se suicidera le soir même de son retour, huit jours plus tard.

Inexplicablement, à la fin de la guerre, Haber reçoit le prix Nobel de chimie pour l'année 1918. La cérémonie organisée en 1920 est boycottée par les Français, les Anglais et les Américains. Mais, toujours féroce patriote, Haber n'a pas fini. Entre les deux guerres, il oriente les recherches de son équipe vers la fabrication d'un insecticide puissant contre les poux et autres nuisibles, fabriqué à partir de l'acide cyanhydrique. Il deviendra emblématique de la circulation industrielle des molécules de synthèse, de leur application agricole à leur utilisation criminelle. Et *vice versa*.

Mais Haber est chassé par les nazis qui, évidemment, ne reconnaissent pas sa conversion personnelle. Il ne réussira pas à déposer de brevet pour le Zyklon B. Après sa mort en exil en Suisse, ce sera fait par son ancien assistant, Walter Heerdt, qui perfectionnera une version « sans parfum », adaptée aux besoins criminels des SS. Cette version homicide de l'insecticide sera fabriquée par différentes entreprises de la chimie allemande dont le géant IG-Farben, regroupant les entreprises BASF, Bayer et Agfa. Le Zyklon B a été marginalisé à cause de sa notoriété génocidaire, son emploi contre des hommes par l'industrie de mort nazie. Mais, aux yeux de l'industrie capitaliste, la molécule active reste utile.

Après la guerre, le Zyklon B a été homologué en France, en 1958, sous le même nom, pour la protection des céréales. Il était vendu par la société commerciale au nom de « L'Éden vert », rejeton naturel de la « révolution verte ». Il n'a été interdit qu'en 1989 mais une variante du nom de Zyklon était encore homologuée en France en 1997 pour la désinsectisation des lieux de stockage. Et il existe toujours sous forme de pesticide, en République tchèque par exemple, sous le nom Uragan D2. Les hommes passent et trépassent mais les molécules restent.

8

La révolution verte était en noir

(Un film que la Nouvelle Vague n'a pas réalisé)

L'avant-garde du biocide est toujours du côté du plus puissant. L'assaut systématique de l'industrie chimique contre le vivant s'est poursuivi dans chaque pays tout au long du XXᵉ siècle.

Après la Seconde Guerre mondiale et pour faire face aux besoins de la reconstruction, l'industrie chimique, comme un seul homme, a tourné ses molécules vers un nouveau combat : les enjeux nutritionnels de la révolution verte. Les débouchés agricoles lui tendaient enfin les bras. Les institutions étatiques, en pleine renaissance, étaient demandeuses de solutions miracles. La logique du rendement imposée par l'explosion démographique et l'hégémonie industrielle ont fait le reste.

Avec le plan Marshall, comme on le voit aujourd'hui avec la fondation Gates présente en Afrique pour stimuler la nouvelle agriculture africaine (alors qu'un accord a été récemment signé entre Bill Gates et Monsanto, la plus grande entreprise au monde de l'agrochimie et des

OGM[1]) on peut voir comment la philanthropie des puissants envers les impuissants amène toujours une grosse part d'intérêt commercial et d'idéologie.

Pendant les années 1950 et 1960, la transformation de la surface agricole mondiale a été accompagnée par l'usage massif des engrais chimiques, des herbicides, des pesticides et des insecticides. Le plan Marshall était certainement un acte de sauvetage humanitaire sous différents aspects, mais il ne faut pas oublier que l'industrie américaine, vouée à la production de munitions durant la guerre, avait besoin de nouveaux débouchés pour ses produits, afin de maintenir sa croissance exponentielle. La reconversion des munitions à base de nitrates était partout imposée comme le nouvel outil « nécessaire » pour relancer l'agriculture européenne (et mondiale). Il fallait déclarer une nouvelle guerre, et les insectes, les champignons, les herbes adventices (et accessoirement les écologistes) en seraient les nouveaux ennemis.

Aux États-Unis, à cette époque, Monsanto et Dow Chemical parviennent à exploiter sur le terrain agricole une nouvelle génération de molécules agromilitaires, comme le DDT, par exemple. Pour la recherche scientifique, le passage est toujours fluide entre l'industrie militaire et l'industrie agroalimentaire.

Utilisé par l'armée américaine durant la guerre du Vietnam, l'agent orange est un défoliant, une variété d'herbicide comportant de la dioxine. Il sera interdit aux États-Unis en 1970 quand les preuves des risques de cancer pour l'homme seront devenues indéniables. En attendant, les

1. Annie Mal, « Sur la prétendue générosité de Bill Gates », *Mediapart*, 5 septembre 2014 (http://blogs.mediapart.fr/blog/annie-mal/050914/sur-la-pretendue-generosite-de-bill-gates).

entreprises agrochimiques américaines Monsanto et Dow Chemical, l'auront adapté pour l'armée américaine, à des dosages spécifiques pour une utilisation militaire.

Contrairement au cas de l'ammoniac où une molécule de synthèse conçue initialement pour faire de l'engrais avait finalement été convertie en arme, ou encore au cas du Zyklon B où le produit insecticide lui-même était devenu homicide, avec l'agent orange, l'armée américaine voulait surtout détruire les récoltes et défolier les forêts sud-vietnamiennes. Le produit était donc bien utilisé comme produit phytosanitaire mais à des doses militaires, lors d'épandages (bombardements) qui pouvaient rappeler ceux des champs agricoles américains. Il n'y avait pas de séparation de nature entre l'usage agricole et l'usage militaire, mais juste une question de dosage. C'est bien en tant que produit agrochimique qu'il s'est révélé être une arme par destination, entraînant encore des cancers et des malformations chez les Vietnamiens comme chez des vétérans américains. Effet encore plus sinistre, l'agent orange se transmet par l'ADN et crée des malformations encore plus importantes sur les générations suivantes[1]. Mais les « bombardés » attendent encore que la responsabilité des entreprises agrochimiques soit établie devant la justice alors que les « bombardeurs » ont vu leurs pathologies reconnues par Monsanto et six entreprises américaines qui leur ont alloué un fonds de dédommagement, pour éviter un procès à l'américaine.

---

1. UNICEF Vietnam estime que 1,2 million d'enfants au Vietnam, aujourd'hui, souffrent de handicaps possiblement dus à l'agent orange. agentorangerecord.com. Et même si les chiffres ne sont pas parfaitement vérifiables, selon le conservateur *International Journal of Epidemiology* : « L'exposition à l'agent orange est associée à une hausse statistique significative des risques de malformations à la naissance. »

Ailleurs, la guerre est non déclarée. Peu à peu, presque tous les agriculteurs au monde – sur les deux sous-continents américains comme en Europe et en Asie – se plient à la pression politique des gouvernements enthousiastes à l'idée de faire croître l'industrie agrochimique et d'augmenter les rendements agricoles. Mais la révolution verte qui a promis de nourrir la planète n'était (et n'est toujours) qu'un fantôme. Certes les rendements ont augmenté pendant les premières années avec l'effet stéroïde des produits chimiques sur les terres. Mais ce qui n'a pas été raconté aux pauvres agriculteurs, dupés par les marchands de mort qui promettaient un avenir radieux (et non pas « irradié »), c'est que les sols seraient détruits et que, à long terme, la productivité et surtout la qualité alimentaire des produits seraient progressivement réduites. Selon de multiples études, il faut cent pommes, aujourd'hui, pour arriver au niveau de vitamine C d'une pomme de 1950. Donc même si on produit quatre fois plus de pommes, argument principal de la « révolution verte », on perd vingt-cinq fois la valeur totale en vitamine C !

« Hier, quand nos grands-parents croquaient dans une transparente de Croncels, ils avalaient 400 mg de vitamine C, indispensable à la fabrication et à la réparation de la peau et des os. Aujourd'hui, les supermarchés nous proposent des bacs de goldens standardisées, qui ne nous apportent que 4 mg de vitamine C chacune, soit cent fois moins », selon Philippe Desbrosses, docteur en sciences de l'environnement à l'université Paris-VII. « Après des décennies de croisements, l'industrie agroalimentaire a sélectionné les légumes les plus beaux et les plus résistants, mais rarement les plus riches sur le plan nutritif », déplore ce militant pour la préservation des semences anciennes. Il y a un demi-siècle, une seule orange couvrait la quasi-totalité de nos besoins quotidiens – les fameux AJR (apports journaliers recommandés) – en vitamine A. Aujourd'hui, il faudrait en manger vingt et une pour ingurgiter la même quantité de la vitamine précieuse pour notre vue et nos défenses immunitaires. De même, une pêche des années 1950 équivaut à vingt-six pêches aujourd'hui[1]. Dans quelle folie vivons-nous pour accepter une telle aberration ? Nous dépassons ici Aldous Huxley dans notre capacité d'ingurgiter les comprimés synthétiques de l'oubli.

Dans son très beau livre *La Part de la terre. L'agriculture comme art*, Henri de Pazzis, agriculteur et fondateur de Pronatura, le plus grand distributeur de fruits et légumes biologiques en Europe, écrit :

---

1. Amélie Mougey, « Pourquoi une pomme des années 1950 équivaut à 100 pommes d'aujourd'hui », *Terraeco, Le goût assassiné*, n° 66, avril 2015. Accessible en ligne (http://www.terraeco.net/Pourquoi-une-pomme-des-annees-1950,58246.html). Cet article s'appuie sur six études scientifiques canadiennes et américaines étalées sur une période allant de 1997 à aujourd'hui et reprenant des chiffres plus anciens. Parmi ces six études, l'une d'elles propose des tableaux récapitulatifs de l'évolution des nutriments pour une série de fruits et légumes déterminés. Si certains fruits ont gagné un peu en quantité de certains nutriments, le tableau montre clairement que les pourcentages négatifs sont bien plus importants et nombreux. Il s'agit d'une tendance lourde. Certains fruits, comme les fraises, par exemple, sont particulièrement atteints et perdent 52,5 % de leur calcium, 62,5 % de leur fer, 55,5 % de leur vitamine A, 5 % de leur vitamine C, 33,3 % de leur vitamine B1, entre 1951 et 1999. Si l'on fait la somme de toutes les baisses et de toutes les augmentations (en %) on arrive au solde de - 420. Et si l'on suit la colonne du taux de fer dans les aliments, à part le poivre vert, le poivre rouge et les cerises, on constate que tous les produits de la terre perdent beaucoup de fer. Pour accéder à cette étude en ligne : http://www.food-supplements-and-aloe-vera.com/support-files/nutrient_changes_in_vegetables_and_fruits_1951-1999.pdf.

« L'industrie agricole, aveuglée par les trois éléments majeurs – azote, phosphore et potassium –, délaisse le mode mineur – calcium, magnésium, soufre, fer, zinc, cuivre et tant d'autres – et affaiblit les plantes, notamment par la réduction de l'activité biologique des sols. L'appauvrissement minéral du végétal se transmet, par la chaîne alimentaire, à l'animal, à l'homme. Entre 1940 et 2002, le bœuf a perdu la moitié de son fer, le poulet le tiers de son calcium[1]. »

Il poursuit sa réflexion :

« La sélection s'est concentrée sur des plantes assistées à croissance rapide, qui se gonflent d'eau, présentent une apparence lisse, uniforme. Notre assiette s'emplit d'une illusion ; elle conjugue la suralimentation à la dénutrition. »

Selon Gilles-Éric Séralini, le chercheur qui a osé mener une des rares études indépendantes sur l'effet cancérogène des OGM (et en a payé le prix en subissant des attaques furieuses de Monsanto aidé par les grands médias), « la culture intensive promue par des produits chimiques à base de pétrole tue la terre, compte tenu que 90 % des pesticides et des engrais sont faits de pétrole et à base de produits tueurs. Quand on parle de nitrates, ça reste des explosifs de la guerre, quand on parle des insecticides, c'est d'abord les produits qui servaient aux camps de concentration. On ne peut pas s'étonner qu'ils aient quelques effets secondaires en s'accumulant dans l'écosystème. Ces produits ont pour rôle d'arrêter la synthèse des arômes pour que la plante pousse plus vite. Et, en poussant plus vite, la plante ne s'enrichit pas des éléments essentiels, mais se concentrera en sucre et protéines issues des produits chimiques ».

1. Louise Browaeys et Henri de Pazzis, *La Part de la terre. L'agriculture comme art*, Paris, Delachaux et Niestlé, 2014, p. 102.

Aussi nocive que la réduction folle de l'aliment en lui-même sous le régime chimique, il y a encore la dévastation nucléaire et moléculaire de la vie biologique des sols. Parmi les lanceurs d'alerte importants figurent Claude et Lydia Bourguignon, auteurs du livre de chevet des agriculteurs et vignerons naturels, *Le Sol, la Terre et les Champs*. Agronomes-microbiologistes de formation, ils ont quitté l'INRA il y a quarante ans pour fonder un des seuls laboratoires de recherche agronomique indépendants en Europe.

À cette époque comme aujourd'hui, les recherches étaient largement dirigées vers l'agriculture intensive et son alliée privilégiée et généreuse, l'industrie agrochimique. Claude Bourguignon, dans une interview accordée longtemps après qu'ils eurent abandonné l'INRA, expliquait que « l'INRA a rejeté en bloc l'agriculture biologique, biodynamique, sans l'avoir jamais étudiée ! C'est une faute professionnelle grave de la part de cet institut face à la déontologie scientifique. C'est à ce moment-là qu'il a perdu sa liberté. Ce n'est plus réellement un institut d'État. C'est un institut au service des grandes entreprises marchandes d'engrais. Plus de la moitié des commandes de thèses de l'INRA proviennent d'elles ». En fait, c'était déjà le cas à l'époque de Fritz Haber : « Les universités allemandes à la fin du XIXe siècle sont étroitement associées aux industries chimiques de pointe, plus particulièrement celles des médicaments et des colorants. Tout composé nouveau créé dans les usines est immédiatement analysé dans les laboratoires universitaires. Et *vice versa* : ces derniers livrent des brevets aux industriels pour d'autres composés de synthèse. Le personnel scientifique emprunte aussi une route à double sens, passant souvent des industries aux universités et inversement. »

Ce sont les fameuses « *revolving doors* », les portes tournantes. Connaître ce phénomène permet de mieux comprendre certaines polémiques provoquées par l'apparition au grand jour de conflits d'intérêts.

Concernant l'étude Séralini sur l'effet cancérogène des OGM et la levée de boucliers d'une garde prétorienne d'experts « neutres » pour protéger Monsanto, Benjamin Sourice précise sur Mediapart : « Gérard Pascal, ancien toxicologue à l'INRA et ex-président du conseil scientifique de l'Agence française de sécurité sanitaire des aliments (AFSSA) fut le premier à questionner les résultats avec ironie : "Si les résultats se confirment, c'est le scoop du siècle. Et dans ce cas, il faudrait interdire les OGM dans le monde entier." » Sourice poursuit : « Désormais à la retraite, M. Pascal a su faire fructifier son expérience en devenant consultant pour des entreprises de l'agroalimentaire telles que Danone et Nestlé. Il a participé à la création du cabinet de communication et de lobbying Entropy Conseil, spécialisé dans les questions de "sécurité alimentaire" et "gestion de crise" appartenant au groupe Protéines, spécialiste en "communication de la santé"[1]. »

La journaliste Marie-Monique Robin a fait un travail important dans plusieurs livres et docu-reportages (*Le monde selon Monsanto*, *Notre poison quotidien*, *Les moissons du futur*, entre autres) pour éclairer l'opinion sur les

1. Benjamin Sourice, « Polémique sur la toxicité des OGM, ces conflits qui nuisent à la science », *Mediapart*, 28 septembre 2012 (http://blogs.mediapart.fr/blog/benjamin-sourice/280912/polemique-sur-la-toxicite-des-ogm-ces-conflits-dinterets-qui-nuise).

nombreux conflits d'intérêts qui caractérisent les liens parfois incestueux entre la recherche scientifique, les agences nationales et l'industrie chimique. Sur son blog, intégré au site d'Arte, elle suit le parcours institutionnel et industriel de certains membres et *parrains* de l'AFBV (Association française des biotechnologies végétales) et dresse un inventaire détaillé des chercheurs qui évoluent dans le manège enchanté des *revolving doors*. L'AFBV, cette association qui nous annonce joyeusement que les OGM bénéfiques pour la santé sont arrivés, réunit des scientifiques pro-OGM qui naviguent allègrement près des côtes du conflit d'intérêts. Ils passent de leurs laboratoires publics aux sièges des instances régulatrices de l'État en n'oubliant pas de vendre un peu de leur compétence aux grands opérateurs économiques du secteur qu'ils réglementent ou dans lequel ils font de la recherche avec de l'argent public. Nous découvrons sur son blog la fine fleur de la recherche et de la respectabilité… monnayables.

La liste est tristement longue[1]… Les portes tournantes ne grincent pas trop.

Dans leur livre *Pesticides. Révélations sur un scandale français*, Fabrice Nicolino et François Veillerette montrent comment l'INRA est né dans une fascination de ses fondateurs, Jean Bustarret et Luc Alabouvette, pour les maïs à haut rendement de la technologie agricole américaine. Ils exposent aussi les liens des premiers hauts responsables de la recherche comme Marc Raucourt et Bernard Trouvelot, grand amateur de DDT, avec l'industrie agrochimique.

1. Lire le billet de Marie-Monique Robin, « Le procès Séralini/Fellous et les conflits d'intérêts de l'AFBV » sur le blog personnel de Marie-Monique Robin, 6/12/2010 (http://www.arte.tv/sites/fr/robin/2010/12/06/le-proces-seralini-fellous-et-les-conflits-dinteret-de-lafbv/).

C'est peut-être ce qui explique la résistance de l'INRA sur la question de l'agriculture biologique. Il a beau proclamer haut et fort, depuis une poignée d'années, qu'il s'investit dans l'agroécologie, il reste très modeste sur la question. 9 unités de recherche sont dédiées à l'agriculture biologique sur 158 en tout[1].

1. Le site du CIAB (Comité interne en agriculture biologique), sous-partie de l'INRA, indique 9 sites de recherche dédiés à l'agriculture biologique (http://www6.inra.fr/comite_agriculture_biologique/Presentation/Les-dispositifs2).

9

La valse oligo-microbienne

Depuis qu'il a quitté l'INRA dans les années 1980 pour lancer son laboratoire indépendant avec sa femme (le LAMS, Laboratoire d'analyse microbiologique des sols), Claude Bourguignon est engagé dans l'analyse et la réparation des sols détruits par l'agriculture chimique intensive. Il décrit le sol ainsi : « C'est une matière vivante complexe, plus complexe encore que l'eau ou l'atmosphère qui sont des milieux relativement simples. Le sol est un milieu minoritaire sur notre planète : il n'a que trente centimètres d'épaisseur en moyenne. C'est le seul milieu qui provienne de la fusion du monde minéral des roches-mères et du monde organique de la surface – les humus. Sur trente centimètres d'épaisseur, le sol héberge 80 % de la biomasse vivante du globe. Et dans ce sol, très mince, il y a beaucoup plus d'êtres vivants que sur le reste de la surface de la Terre. Cela ne se voit pas. »

Il continue : « C'est un monde microbien que l'on a d'autant plus négligé qu'il ne coûte rien… Un énorme tabou pèse sur le microbe. Il est extrêmement mal vu dans notre société. Il est source centrale de mort dans la vision pasteurienne. Et pourtant les microbes sont fondamentaux pour la vie. Sans ces intermédiaires, les plantes ne peuvent pas se nourrir. L'industrie de l'homme, l'industrie agrochimique, dans son fonctionnement, ne fait que copier le microbe. Le problème, c'est l'énergie phénoménale que cela coûte. Les bactéries des sols fixent l'azote de l'air pour faire des nitrates. Gratuitement ! L'homme, lui, utilise dix tonnes de pétrole pour fixer une tonne d'azote. Qu'il vend. Cher. »

Il conclut ainsi : « On oublie de dire que les molécules chimiques ne fabriquent pas un sol. C'est le paysan qui le fabrique de ses mains, ce sol. Alors, évidemment, l'industrie a eu intérêt à remplacer le modèle traditionnel de l'agriculture française… Et lorsque j'ai mis au point ma méthode pour mesurer l'activité biologique des sols, je me suis rendu compte de la réalité. Les agriculteurs biologiques ou biodynamiques ont des sols beaucoup plus actifs que ceux qui travaillent en conventionnel. Des sols vivants. »

Dans le cas des vignes, la présence de molécules de synthèse inhibe de manière radicale la capacité des racines à pénétrer en profondeur et à puiser les sels minéraux qui, ensuite, sont transformés en arômes. Tout le goût, toutes les saveurs du vin viennent de la transformation de ces sels minéraux. Cette transformation dépend donc de la vitalité de la vie biologique des sols qui accueillent les racines. Ce n'est pas le minéral lui-même qui peut être avalé par la racine, il faut que l'absorption des sels minéraux passe par une sorte de bouillie. Et c'est la faune du sous-sol, brigade de petits chefs cuisiniers, qui dégrade les minéraux pour en faire une substance assimilable par les racines. Toute la complexité du goût d'un vin vient de l'étendue du contact des racines de la vigne avec des couches différentes. Plus une racine dialogue avec le sol et le sous-sol, plus elle est enrichie. Quand un sol est vivant, c'est que sa population microbiologique complète et diversifiée l'aère afin que l'eau, l'air, la faune et la flore puissent y circuler librement. Dans ce cas-là, la racine d'une vigne peut pénétrer jusqu'à soixante mètres selon la composition géologique du sous-sol.

L'artiste joue-t-il le rôle de microbe dans l'humus civique ?

Sur le même terrain, en cas de traitement chimique du sol – et même si l'on adopte l'éco-oxymore nocif, aujourd'hui très répandu, de la « lutte raisonnable » (une telle phrase pourrait-elle sortir de la bouche d'un Cassavetes ou d'un Pasolini ?) –, la même racine ne va pas pénétrer à plus de deux mètres du sol empoisonné à doses massives ou « raisonnables ». De soixante on passe à deux. Ce qui est perdu, c'est toute la richesse du sol. Le vin (comme un film de « lutte raisonnable ») n'a alors plus de rapport avec son terroir.

À partir des années 1960, les vins des terroirs les plus distingués sont devenus presque muets. Tout l'enracinement minéral – la radicalité, du latin « *radix, radicis* » – qui a défini le goût du vin depuis huit mille ans a disparu. Les vins ne retrouvaient ni goût, ni couleur, ni corps. *Ex nihilo*, c'était devenu subitement des substances désincarnées. *Ex nihilo, pro nihilo*.

Comme souvent dans les situations révolutionnaires, l'homme a réagi à cette perversion inattendue de manière tout aussi perverse. Au lieu de revenir à la racine du problème, c'est-à-dire d'éradiquer la cause chimique, il s'est appliqué à en corriger les effets en rajoutant de la chimie à la chimie, le mal et le remède étant toujours de même nature. Et la nature étant dénaturée, le remède est le mal.

Pour rectifier ces nouveaux vins sans substance, ces vins morts issus de sols morts, on a vu apparaître, dans les années 1970, les œnologues et des laboratoires d'œnologie.

Avec l'inventivité qui caractérise l'espèce humaine, on a trouvé énormément d'astuces. On peut commencer par les levures sélectionnées pour faire partir les fermentations qui ne partaient plus spontanément. Quand les sols sont morts, les caves meurent aussi, car la population complexe de levures indigènes, présentes dans les vignes comme dans la cave, disparaît. Évidemment, l'écosystème d'un sous-sol est lié au sol lui-même, mais également à tous les écosystèmes environnants : preuve de l'interdépendance infinie de toutes les expressions de la vie. Selon certains scientifiques, la plupart des goûts du vin proviennent des microbes. Selon plusieurs chercheurs de l'université de Davis en Californie, lieu connu pour sa défense de l'industrie viticole américaine, plutôt sceptique sur l'impact du terroir – vu comme une sorte de poésie européenne –, c'est néanmoins la diversité microbienne liée à une spécificité géographique qui donne au vin son caractère. Dans un article publié par la *National Academy of Sciences* aux États-Unis, en 2013, ils affirment que « les raisins sont transformés en vin surtout par l'activité microbienne ».

Dans *The New Scientist*, également « terroiro-sceptique », le Pr Jack Gilbert du laboratoire Argonne dans l'Illinois et Barry Smith de l'université de Londres sont réputés pour affirmer que, « de tous les microbes, il est probable que ce sont les levures qui sont les plus déterminantes pour le goût du vin, à travers un processus qui crée plus de quatre cents composés qui définissent le goût, l'arôme et la texture ».

À partir de jus de raisin issu de sols bombardés, les fermentations avaient de plus en plus de mal à démarrer depuis les années 1960. Le processus même de naissance des vins était menacé. Il fallait les stimuler avec des levures artificielles, isolées, codifiées, chimiquement reconstituées et commercialisées par des laboratoires. Devant des moûts sans goût, ces nouvelles levures artificielles offraient la possibilité de reconstruire complètement les vins selon des critères de sélection mercantilo-eugénistes. On a fait et commercialisé ceux qui étaient les mieux adaptés, dont les goûts étaient les plus faciles à vendre.

Et pour vendre, on était obligé d'inventer des histoires. On a échangé le terroir contre le marketing du terroir. Le terroir réel perdu est devenu le spectacle bucolique du terroir imaginaire. L'authenticité n'est alors plus une relation entre les choses mais un concept qui fait vendre. Le terroir se transforme ainsi en goût de la banane ici, en goût de l'abricot là, en cocktail de fruits exotiques partout, selon les envies et les besoins marchands. Cette boisson autrefois marquée par la minéralité et la salinité de ses origines, transformée en sucrerie, a pu accompagner son époque et son culte de l'enfance permanente. Un vin enfantin en est sorti ; le vin enfantin industriel ; le vin enfantin dit « de terroir et artisanal » ; le vin enfantin de luxe (pourvu qu'il soit cher). Chacun adopte la base « bonbon », sucrée et non salée, mais avec un packaging décliné pour chaque tranche de marché.

Au fond, tout était industrialisé, standardisé et reproductible à souhait. Il a fallu peut-être dix ans pour que les amateurs, hormis ceux qui avaient des caves pleines de souvenirs liquides d'une réalité antérieure, deviennent amnésiques et commencent à prendre cette aberration pour la norme. Dans les années 1980, apparaissent, ici et là, de nouveaux experts – journalistes, critiques, marchands – dont le goût vient d'être formé sous le nouveau régime. Ils cautionnent le vin chimérique en le proclamant, souvent avec une grande sincérité (chose encore plus triste), « vin authentique ».

Une chimère nourricière ?

L'argument avancé par les défenseurs fanatiques, cyniques ou simplement paresseux de la chimie a été que, grâce à la chimie, on nourrit plus de monde et que l'espérance de vie augmente. Sauf que les générations qui ont fourni ces statistiques – tous ceux qui ont soixante-dix ans ou plus aujourd'hui – sont les dernières générations à avoir été nourries jeunes avec des aliments non encore industrialisés. Ce sont les générations de tous ceux qui ont moins de soixante-cinq ans qu'il faudra voir dans les vingt prochaines années pour observer, sur toute une vie, l'effet des aliments de l'ère chimique.

En tout cas, nous avons un premier indice. Pour l'INED (Institut national d'études démographiques), entre 2008 et 2010, « l'espérance de vie sans incapacité » (EVSI) est passée de 62,7 ans à 61,9 ans pour les hommes et de 64,6 à 63,5 ans pour les femmes. La baisse de cette espérance de vie « heureuse » s'explique par le fait que la génération de 1920-1930, celle qui a vu son espérance de vie augmenter, commence à disparaître, et qu'elle est globalement la dernière à avoir vécu sans subir depuis sa naissance une sorte de bombardement chimique alimentaire. Qu'en sera-t-il des générations nées après 1960 ?

Entre 1930 et 2010, la production mondiale de produits chimiques est passée de 1 million de tonnes à 500 millions de tonnes. Le chiffre d'affaires de l'industrie chimique est passé de 171 milliards de dollars en 1970 à 4 100 milliards en 2010[1]. Que cela veut-il dire en ampleur de marché ? Les recettes fiscales de la France, pour la même année 2010, étaient d'environ 345 milliards de dollars (273 milliards d'euros), soit plus de dix fois moins. On comprend alors comment s'est étendu un pouvoir partagé par quelques groupes industriels qui, réunis dans des lobbies multiples,

1. Chiffres tirés du livre de Fabrice Nicolino, *Un empoisonnement universel. Comment les produits chimiques ont envahi la planète*, Paris, Les liens qui libèrent, 2014.

comme l'UIC (Union des industries chimiques) ou la si bien nommée UIPP (Union des industries de la protection des plantes), forment un des États les plus puissants de la planète, un État dont les citoyens sont des actionnaires sans noms. Un État sans frontières ni territoire.

Un État immatériel.

L'impact des produits chimiques de l'industrie phytosanitaire sur la vie agricole est doublement destructeur. La révolution verte aura été en réalité une révolution noire, marquée par le deuil et la falsification des terres, des produits et, finalement, de la nourriture et de la culture culinaire. À part le maigre rayon « bio », et encore, tout le reste, dans un supermarché classique, des légumes à la viande, en passant par les sodas et le vin, dépend de l'industrie agrochimique. Et nous croyons souvent manger les images des emballages, des spectacles de produits alimentaires plus que des produits eux-mêmes (tout comme dans l'art contemporain ou dans la finance).

La chimie cyniquement qualifiée de « verte » n'a pas détruit que les sols, sous prétexte que la terre n'était plus conçue comme une source nourricière mais comme un simple support technique. Elle a aussi détruit les hommes, puisqu'on peut malheureusement constater une très grande quantité de cancers chez les agriculteurs qui ont travaillé en agriculture conventionnelle, avec des pesticides, des fongicides et des insecticides. On observe notamment, chez les agriculteurs à la retraite, une proportion plus importante de cancers de la lymphe dus aux perturbateurs endocriniens. 1 640 médecins français ont signé un appel pour mettre en garde contre les pesticides, appel pour le moment resté sans réponse. Mais, début avril 2015, le CIRC (Centre international de recherche sur le cancer) a tout de même classé le glyphosate, principe actif du Roundup de Monsanto, parmi les produits « cancérigènes probables ». Première étape avant une interdiction ? Peu probable. En mai 2015, la Commission européenne a autorisé seize nouveaux OGM de Monsanto, Dow Chemical, Bayer et BASF, y compris les « glyphosatés », amenant à soixante-quinze les OGM autorisés en Europe, malgré l'interdiction officielle[1].

Une étude de l'Inserm (Institut national de la santé et de la recherche médicale), en 2013, a compilé la plupart des études scientifiques menées sur les pesticides depuis les années 1980. La conclusion établit un lien fort entre l'exposition professionnelle (entendez agricole) aux pesticides et l'émergence de certaines maladies. Le compte rendu est clair : « D'après les données de la littérature scientifique internationale publiées au cours des trente dernières années et analysées par ces experts, il semble exister une association positive entre exposition professionnelle à des pesticides et certaines pathologies chez l'adulte : la maladie de Parkinson, le cancer de la prostate et certains cancers hématopoïétiques (lymphome non hodgkinien, myélomes multiples). » Comme souvent devant le pouvoir de l'industrie chimique, la formulation est timide, prend des gants, mais le message est limpide. Et maintenant ?

Ayant produit une maladie, il ne reste plus qu'à trouver son remède, formule gagnante qui définit la modernité industrielle et sans doute la structure profonde du capitalisme.

---

1. Sans aucun doute, si le TAFTA – traité de « libre »-échange actuellement en phase de négociations (cachées au public) entre l'Amérique du Nord et l'Europe – est approuvé, il ne restera plus aucune protection en Europe contre les OGM et les pesticides qui ont dévasté l'agroalimentaire aux États-Unis. On ne pourra plus que témoigner d'une transformation totale et irréversible de l'agriculture européenne.

10

À nos deux amis[1]

L'avant- (et l'arrière-) garde d'une rébellion éthique

Devant la soumission des autorités à l'hégémonie culturelle de l'agriculture dite *conventionnelle* (dirait-on d'un assassin que son comportement est « conventionnel » ?), certains paysans, certains vignerons, ont décidé d'adopter une attitude gramscienne : déplacer la lutte économique sur le terrain de la culture. Au lieu d'affronter le pot de fer politico-industriel de manière frontale, ils l'ont ignoré. Ils se sont tournés vers le terrain agriculturel du vin au sens très large. Ils ont recréé un monde plus sain, plus ouvert, plus juste envers ses voisins ; monde dans lequel ils sont en train de renverser l'hégémonie des croyances « progressistes » de la chimie pour de plus en plus d'esprits contemporains, et surtout des jeunes. L'insurrection culturelle des vignerons naturels, réunis en un mouvement esthétique et social, est en train d'inventer un modèle qu'on ne peut même pas qualifier d'alternatif, car il ne se

1. En hommage au Comité invisible.

situe pas *contre* mais *en dehors* des dogmes, des catégories et des conventions.

Ce mouvement, au contour joyeusement incertain mais à l'éthique inattaquable, n'est cependant pas toujours reconnu, même par ses adhérents. Et tant mieux. Certains peuvent en faire partie sans s'en revendiquer, certains n'affichent pas leur étiquette « bio », « biodynamique » ou « naturel ». Le vin naturel n'est pas un groupe ni une école artistique organisée comme les impressionnistes, les naturalistes ou les surréalistes. Il s'agit plutôt d'un large mouvement culturel, plus profond, à l'image de l'humanisme (en tant que réponse au fanatisme dogmatique et à la corruption de l'Église), du romantisme ou plutôt, ici, du réalisme poétique… qui irriguait toutes les formes de représentation. Et tout comme Flaubert, qui était réaliste sans appartenir à aucun mouvement, parce qu'il avait compris la révolution en cours, certains vignerons sont « naturels » sans le vouloir, parfois sans le savoir, mais simplement parce qu'ils ont placé le respect de la terre, du fruit et des hommes au cœur de leur travail.

Cette ambiguïté féconde s'exprimait clairement le soir où Jean-Marc Roulot m'a rejoint aux *Deux Amis*, rue Oberkampf, dans le XIe arrondissement de Paris. Ce bar à vins qui passerait facilement pour le summum du boboïsme parisien, est exactement le contraire, incarnant plutôt la force vitale, dans son extension urbaine, du mouvement du vin naturel.

Il a fallu peu de temps pour que *Les Deux Amis* devienne un lieu de fête spontanée dans le quartier, attirant des jeunes et des moins jeunes, soucieux bien sûr de la qualité de ce qu'ils mangent et boivent, mais surtout sensibles à une ambiance peu parisienne où, assis ou debout autour du bar, les échanges entre inconnus hétéroclites sont communs et joyeux. On est dans un contexte où bien boire et bien manger n'est pas un culte ni une fin en soi. Ce qui règne dans la salle débordante de convives est la sympathie humaine ; un ovni dans la restauration urbaine.

Quand David Loyola est devenu propriétaire du lieu, en 2010, il n'a presque rien changé à un décor intact depuis ses origines de café dans les années 1970, quand le XIe était encore un quartier populaire. Ensuite, il a adopté pour sa cuisine minuscule une série de jeunes, parfois argentins, souvent étrangers, à la recherche d'une transformation transparente des produits de qualité du marché bio. Il faut beaucoup de talent pour arriver à sublimer des légumes, des viandes et des poissons sans masquer leurs origines. Et il faut un minimum d'éthique pour proposer ces plats, même au format tapas-entrées, à moins de 10 euros dans le Paris de 2015. Surtout quand *Les Deux Amis* est tellement plein tous les soirs que, même l'hiver, la foule déborde sur le trottoir, assiettes de tapas et verres de vin dans les mains.

Pour le vin, la rencontre de David avec Antoine Stinj, vingt-neuf ans, a été déterminante. Passionnés par la joie de vivre, la liberté que les vins naturels provoquent en eux, ils ont rempli leur cave de vins français et européens, faits par les vignerons qu'ils visitaient. Suite à des rencontres avec ces paysans, ils ont naturellement exercé une politique de prix de vente souvent équivalente à la moitié du prix affiché par les restaurateurs autour. Antoine est parti en 2014, mais il revient souvent comme client, preuve d'un écosystème vivant. Depuis, le relais a été pris par de jeunes serveurs comme Claire Seppecher et Thomas Ameline, présents le soir où j'attends Jean-Marc Roulot. Également décomplexés et enthousiastes, ils sont tout aussi humbles dans la poursuite de leur passion. À l'inverse de beaucoup de jeunes sommeliers d'une autre époque et témoins d'une autre conception du vin, où tout était question de snobisme, de « connaissance » scolaire et d'influence pour imposer un achat, Claire et Thomas n'ont pas l'impression de vendre des produits à des clients. Le vin pour eux est d'abord un acte agriculturel qui les touche, un acte de paysans qu'eux aussi sont allés rencontrer et qu'ils souhaitent partager.

Claire, dans une tradition de serveurs de restaurant plus new-yorkaise que parisienne, est aussi une artiste. Mais en parlant avec elle, on ne pense pas une seconde aux milliers de jeunes comédiens ou artistes qui exercent à New York le métier de serveur avec un dégoût palpable et un triste mépris (de soi... et des autres). Les yeux effervescents, des gestes dynamiques, elle se lance d'un bout de l'étroite salle à l'autre, proposant des vins, ouvrant des bouteilles, s'asseyant vingt secondes pour répondre à des questions et partager sa passion. En attendant Jean-Marc Roulot, je lui demande ce qui l'anime : « C'est comme quand je m'intéresse à l'art, à la photographie ou au cinéma, ce sont des disciplines qui m'ont révélée et accompagnée depuis que j'ai les yeux ouverts. Je pense que, pour le vin naturel, c'est pareil. Ça vient des rencontres avec des vignerons qui m'ont rappelé mon engagement artistique. Avoir sa vie liée à une production, qui nourrit l'autre et qui s'impose indéniablement comme un geste, une posture politique et heureuse ! Alors comment ne pas travailler avec l'élan, avec la joie, quand on sait qui sont ces gens derrière et quel est leur engagement ! Je veux faire vibrer l'autre autant que moi j'ai vibré en découvrant tout ça ! »

Ce n'est pas un hasard non plus si un cinéaste comme Santiago Amigorena a fait des *Deux Amis* le lieu crucial, un vecteur d'échange vital, pour un des films les plus sympathiquement et doucement radicaux des dernières années. Réalisateur de deux films de fiction faits dans le cadre de l'industrie du cinéma (dont *Quelques jours en septembre* avec Juliette Binoche, Nick Nolte et John Turturro), Amigorena est également reconnu comme scénariste et surtout romancier. Fortement influencé par les réflexions du Comité invisible (à l'époque de *L'insurrection qui vient*), Amigorena cherchait, après ses premières expériences de réalisateur « classique », à construire un film dans une affirmation de liberté non marchandable.

Dans *Les Enfants rouges*, on trouve une qualité intrinsèque au geste artisanal, mais qui est presque impossible à atteindre dans le cinéma : la joie gracieuse de la solitude, autant pour l'auteur que pour le spectateur. Le métier du cinéma – ou, pire, le business du cinéma –, traditionnellement, réclame tellement de participants et tellement d'argent qu'on se demande dans quel autre monde un million d'euros est considéré comme un chiffre risible pour fabriquer une seule œuvre.

Dans la folie du monde de la « crise institutionnalisée », Amigorena a proposé une rupture totale. Il a réussi à fabriquer un film, comme il l'a écrit, « sans aides financières publiques et sans argent privé. La préparation, le tournage et la postproduction se sont faits sans circulation d'argent ». Non pas seulement un film fait sans argent mais un film fait sans *l'*argent. Une fois le film monté, après trois ans de travail sporadique qui se déroulait uniquement quand tout le monde – jeunes techniciens et jeunes comédiens – était disponible et enthousiaste, Amigorena l'a présenté à un distributeur. Séduit par le film, Jean-Michel Rey de Rezo a tout de suite dit oui. Mais Amigorena a répondu : « Je vous le cède à une seule condition. » Habitué à la demande des réalisateurs et producteurs de garantir une sortie dans le plus de salles possible, Rey soupire et demande laquelle. « Qu'il ne sorte que dans une seule salle », a répondu Amigorena en souriant, insistant sur le fait que le geste artisanal doit être maintenu jusqu'au bout de la chaîne.

Rey s'est plié au jeu et le film est sorti, selon les désirs de son auteur, uniquement dans la salle du cinéma Le Latina, fin janvier 2014. Le premier mercredi, tous les spectateurs étaient invités à une fête à l'étage du cinéma. Ce soir-là, le film a eu le meilleur score par écran (!) de tous les films sortis, battant même des productions hollywoodiennes. Encore plus intéressant, les mille spectateurs payants ont fait de l'étage du cinéma un vrai lieu de fête cinématographique, grâce, bien sûr, au vin naturel offert par des dizaines de vignerons, amis du cinéaste ou par ses amis personnels. Mais surtout, des jeunes et des vieux, des comédiens connus et des cinéphiles débutants ont partagé une soirée joyeuse, égalitaire et aussi loin des valeurs marchandes que possible.

Le film d'Amigorena avait trouvé sa plénitude dans ce geste qui cassait les codes des avant-premières mondaines et l'angoisse purement marchande qui déforme l'arrivée au monde d'une œuvre culturelle.

Et le mécanisme économique à l'intérieur de sa fabrication ? À la place de la circulation directe de l'argent, l'auteur a invité ses quelques jeunes collaborateurs à la fin de chaque jour de tournage aux *Deux Amis.*

J'attends toujours Jean-Marc Roulot, assis dans un coin des *Deux Amis*. La découverte de la soirée, proposée cette fois par Claire, est dans la bouteille devant moi : un délicieux mâcon déclassé (ce qui est souvent le cas avec les vins naturels) d'Alexandre Jouveaux. Jean-Marc est un ami de longue date. Marié avec Alix de Montille, une des protagonistes de *Mondovino*, il est lui-même vigneron *et* comédien. Nous avons travaillé ensemble sur *Rio Sex Comedy* où il jouait le rôle du mari jaloux d'Irène Jacob, un rôle qui comprenait une longue scène où il devait courir dans toutes les rues principales de Copacabana, en slip. Aussi courageux et talentueux qu'il puisse être comme comédien, c'est comme vigneron culte du village de Meursault, en Bourgogne, qu'il connaît une renommée internationale. Ses meursaults sont classés parmi les plus classiques et raffinés qui soient par les amateurs et les snobs. Et hélas c'est de plus en plus ces derniers qui se prononcent, vu que les prix marchands – ce qui n'est pas forcément la volonté des vignerons – de tous les bourgognes flambent vers les sommets du bordeaux, « boisson spéculée ».

Jean-Marc s'assoit et me lance tout de suite : « J'ai entendu dire qu'ici c'est un des rares endroits où on peut boire du vin naturel qui ne soit pas infect. »

Je savais que Jean-Marc était *a priori* hostile à ce qu'il considère, de même que beaucoup de vignerons classiques, comme un mouvement de rebelles bobos, ou de soixante-huitards attardés et d'anarchistes inachevés.

Je lui réponds que c'est comme si, en 1910, quelqu'un arrivait chez Durand-Ruel, le célèbre marchand d'art, en disant que sa galerie est une des seules où on peut voir un tableau de ces modernistes qui ne soit pas complètement bidon. C'est ne pas se rendre compte qu'on est devant un mouvement polymorphe qui remet en question toutes les racines de son art et de son métier. Alors son opposition manifeste me fait sourire.

« Tu ne t'en rends peut-être pas compte, mais toi-même tu es très proche de ce mouvement. Tu en fais partie, au fond. » Roulot me regarde, abasourdi. « Tu travailles en biodynamie depuis deux ans et en bio depuis quinze. Tu cherches l'expression la plus profonde et enracinée de tes terroirs. Tu réduis l'intervention technologique au minimum. Sans doute emploies-tu des techniques qui seraient considérées comme hérétiques par certains hérauts du vin naturel, mais tu es beaucoup plus proche de ce monde que de l'autre.

– Oui, mais je ne suis pas d'accord avec eux ! » s'écrie-t-il.

Je ris : « Mais, Jean-Marc, tu ne peux pas dire que tu n'es pas d'accord avec "eux" car "eux" sont aussi divers que tous les modernistes qui peignaient en 1910. Tu n'es pas d'accord avec Kandinsky, Modigliani et Soutine ? Ou les cubistes Juan Gris et Braque ? Ou le déjà (en 1910) ex-cubiste Picasso ? Ou bien les impressionnistes Renoir ou Monet, qui peignaient encore ? De qui parlons-nous et sur quels critères esthétiques et politiques nous basons-nous ? C'est trop complexe. C'est un mouvement trop hétéroclite. La seule chose avec laquelle on peut ne pas être d'accord avec "eux", la seule chose qui les réunit tous, c'est que la nature des sols et la nature des raisins induisent une éthique que l'homme doit respecter sans recours au monde factice de la chimie ni de la technologie. Et là je pense que tu te ranges plutôt de leur côté. Ensuite, si tu dis que tu n'es pas d'accord avec quelqu'un qui proclame : "Le 'sans soufre' ou la mort !", c'est que tu t'opposes à 5 % des vignerons naturels. Tu as le droit, mais la majorité des vignerons faisant du vin naturel sont d'accord avec toi. Donc tu ne peux pas dire que tu n'es pas d'accord avec eux… Car eux, c'est (presque) toi aussi. »

11

Une nature du vin

Alors, s'il n'y a pas de règles fixes, qu'est-ce que le vin naturel ?

Je pense d'abord, en bon marxiste – tendance Harpo, Groucho et Chico –, que la chose qui distingue le vin naturel du vin conventionnel, c'est qu'il n'y a pas de règles. Ceci est la seule règle. Mais il y a une éthique partagée et des pratiques qui en découlent. Chacun le fait à sa façon ; chacun le raconte à sa façon. La ligne de conduite de base pour tous serait peut-être l'interdiction d'utiliser des molécules de synthèse dans les vignes et de fournir un travail aussi propre en cave. On pourrait ajouter à ceci un labour des sols aussi délicat que possible, afin de laisser la biodiversité naturelle du terroir s'exprimer dans le sous-sol autant qu'à la surface du sol, dans les vignes elles-mêmes aussi bien que dans leur environnement.

Soin de la biodiversité et polyculture sont les principes de base pour entretenir un écosystème complexe et vivant. L'expression du terroir vient surtout de cette vie-là. Il n'est pas question de suivre un cahier des charges bio selon les règles édictées pour le label « vin biologique » de Bruxelles (2012), établies sous le regard bienveillant du lobby de l'industrie œnologique et des grands opérateurs sur le marché du vin[1]. Selon le cahier des charges « bio » de Bruxelles rien n'amène à prendre en compte la biodiversité et la vraie vie des sous-sols. Mais c'est surtout dans le chai que l'inefficacité du « bio » s'impose. Le label « bio » bruxellois autorise

1. Certes, la charte bio disqualifiait d'emblée les entreprises fournisseuses d'engrais et de produits phytopharmaceutiques de l'UIPP, puisque le raisin était déjà « issu de l'agriculture biologique », mais d'autres produits sont admis en quantités nocives. Pour avoir un vin certifié bio, il fallait surtout faire le tri dans les intrants autorisés et revoir les taux de soufre. Ce sont donc les entreprises de l'industrie œnologique qui avaient, elles, des parts de marché à défendre et risquaient de voir certaines de leurs poudres disparaître des vins bio. Par ailleurs, l'enjeu de l'élaboration des contraintes était aussi, pour les grands opérateurs du monde du vin, d'avoir des règles suffisamment souples pour que le bio industriel puisse s'épanouir sous le label en vogue, même si ce segment du marché est encore très minoritaire. Les premières ont donc créé un lobby officiel réunissant les « producteurs de produits œnologiques » à travers le monde, Œnoppia, en mai 2009, au moment où Orwine, le comité scientifique chargé par l'Union européenne de définir le vin bio, mis en place en février 2006, devait rendre son rapport. Œnoppia a d'ailleurs disparu après 2012, pour devenir, avec le même numéro de téléphone et la même adresse, rue Croulebarbe dans le XIIIe arrondissement de Paris, l'Union des œnologues de France, à vocation pédagogique et scientifique, d'où toute référence à l'industrie œnologique est absente. Pour ce qui est des opérateurs du monde du vin, il serait intéressant de savoir ce que le lobby Vin et société, qui regroupe 29 associations professionnelles du monde du vin français, a pu avoir comme relation avec les membres d'Orwine, l'enquête reste à mener. Aucune source ne peut officiellement indiquer comment se sont passés les études et les débats au sein d'Orwine, dont les conclusions ont été suivies par l'Union européenne. Le lobbying ne s'affiche pas. Il faudrait enquêter auprès des membres d'Orwine. Mais, ce qui est sûr, c'est que, de l'avis de nombreux vignerons bio ou naturels, très peu consultés, et absents d'Orwine au profit des scientifiques et des techniciens, notamment de l'INRA, le cahier des charges « vin biologique » de Bruxelles est fait sur mesure pour le développement d'un vin bio européen industriel. Ce qui était bien sa vocation puisqu'il s'agissait de s'opposer aux labels américains et australiens qui renforçaient la position des vins du Nouveau Monde sur le marché.

l'ajout d'une quarantaine de produits dont certains sont tirés de molécules de synthèse. Et il n'y a aucun frein à l'emploi de processus technologiques qui risquent de dénaturer le caractère du jus de raisin, comme la thermovinification jusqu'à 70 °C ou l'utilisation de machines à osmose inverse, capables de concentrer un vin, liquide, en confiture, solide.

Cette dénaturation, possible dans le vin « bio » comme dans le vin « conventionnel », tient surtout à l'ajout de levures non indigènes qui travaillent de manière non spontanée. C'est-à-dire que les vignerons achètent des sachets contenant des levures en poudre fabriquées par des laboratoires (surtout installés au Danemark, pays de vignobles par excellence) qui apportent des goûts prédéterminés, comme la levure 71B qui donne le fameux goût de banane ou de fruité aux vins primeurs. Le vin est alors composé à partir de ces levures qui interviennent comme des agents de saveur plus ou moins combinés.

C'est comme si on faisait une injection à une femme enceinte pour que son fils ait les yeux bleus, un nez fin et une prédisposition à bien jouer au football. C'est la dénaturation la plus profonde du vin et cela se pratique jusqu'aux premiers grands crus classés de bordeaux et aux grands crus en Bourgogne.

Hélas, la majorité des vins, même biologiques, sont faits avec ces levures de laboratoires sélectionnées. C'est une forme d'eugénisme darwinien avec sélection des plus forts et élimination des plus faibles. Cela implique aussi la suppression des erreurs et des défauts qui contribuent à ce qu'il y a de plus noble dans le geste civilisateur de l'homme : l'acceptation de la part manquante.

Pourquoi le caractère des levures est-il aussi important ?

Toute l'alchimie du vin repose sur elles. La transformation magique du jus de raisin en vin, du sucre naturel que contient le raisin en alcool, dépend de la présence de ces champignons unicellulaires. Si la musique est « écrite » par la vie biologique et minérale de la terre, transposée par le temps, si les raisins écrivent la partition, les musiciens-interprètes sont les levures, avec sans doute le vigneron comme chef d'orchestre, qui canalise, organise et harmonise ce travail choral de la nature.

Les levures existent partout dans la nature, mais celles qui sont utiles à la fermentation du vin sont surtout présentes sur la peau des raisins et dans le chai. Plus la terre et la plante sont vivantes et plus le chai est fécond. La tendance inverse existe aussi, bien sûr, et depuis cinquante ans, à cause de la mort progressive des sols, d'abord, mais elle est redoublée aujourd'hui sous l'impulsion de Bruxelles à sciemment stériliser les chais (en vue d'une stérilisation générale de l'ensemble de la chaîne agroalimentaire afin de permettre à la grosse industrie – pour qui le stérile est un idéal – de tout dominer). Or, plus une population diversifiée de levures indigènes sera active, plus les levures agiront en complexité et en diversité, et plus le vin lui-même sera le reflet riche et complexe de ce travail. Chaque levure, si microscopique soit-elle, va intervenir sur la fermentation de manière particulière, jouant sa propre partition, apportant son talent individuel à l'harmonie de l'ensemble, comme chaque musicien dans un orchestre.

Dans le vin naturel, on ne parle pas seulement d'une fermentation à partir de levures indigènes, parce qu'on peut très bien les identifier, les sélectionner et les utiliser exactement comme des levures de laboratoire. Il faut qu'on ait aussi la garantie que la fermentation est *spontanée* et qu'elle comprend, sans discrimination, l'ensemble de la population de levures.

Ce qu'on fait aujourd'hui avec le vin non naturel, c'est un peu comme si on allait recouvrir la patine de toutes les fresques du monde avec des couleurs archibrillantes, des couleurs de comics surdétaillées. Ah ? Oui, en effet, beaucoup de fresques ont été ainsi traitées depuis que la mode a changé, il y a une trentaine d'années. Celle de Michel-Ange dans la chapelle Sixtine étant un des exemples les plus flagrants. Comme quoi le vin n'est jamais seul.

Ensuite, les nombreuses techniques susceptibles d'altérer le caractère d'un vin, surtout les processus de filtration, sont généralement évitées dans le vin naturel. Ce sont donc des vins non filtrés qui contiennent toutes les impuretés, tous les dépôts que contient le jus de raisin fermenté. On peut le comparer à un village qui aurait une population très hétérogène. Il serait plus que troublant d'y séparer les impurs des purs. Dans le vin naturel, on accepte toute la population qui habite le vin, telle qu'elle est, avec ses défauts aussi. Le vin naturel devient le vrai reflet d'un terroir dans ce sens-là aussi. Chaque bouteille est un petit village local.

Finalement, on arrive à l'épineuse (ou malodorante) question du soufre. Le soufre est un agent antimicrobien et antioxydant, utilisé à petites doses par les Romains pour transporter le vin et à partir du XVIe siècle, par les Hollandais et les Anglais notamment. Mais le soufre utilisé était dans une version organique, non synthétique (à l'inverse de la majorité des cas aujourd'hui, où le soufre est produit à base de pétrole) et les doses étaient très faibles. Les vins issus de l'agriculture chimique, sans aucun anticorps pour les protéger, sont comme des enfants gavés d'antibiotiques et incapables de se défendre contre les maladies infectieuses. Pour ces vins systémiquement fragiles, il faut des doses de soufre énormes. En fait, il y a un cycle sans fin dans ces vins, comme chez ces personnes où la dépendance à la drogue, l'accoutumance à la chimie et le recours à l'intervention artificielle s'autoperpétuent et augmentent avec le temps.

Pour un vin conventionnel, les doses maximales autorisées sont de 150 mg de soufre par litre pour les vins rouges, de 185 mg pour les vins effervescents et de 200 mg pour les vins blancs et rosés. L'effet est dévastateur. Même les vins biologiques ne sont pas très éloignés de ces normes puisque le cahier des charges européen tolère 100 mg par litre pour les rouges et 150 mg pour les rosés et les blancs. Or, le soufre, c'est la répression de l'expression d'un vin. C'est comme un père ou une mère qui donne tellement de claques à ses enfants que, lorsqu'ils sortent dans la rue, ils paraissent très sages, mais on ne peut pas dire qu'ils s'expriment beaucoup. Et une connaissance intime révèle forcément des âmes meurtries. Et comme les claques, le soufre donne des maux de tête parfois tenaces.

De plus en plus de vignerons naturels réussissent ou tentent des vins sans soufre ajouté ou à des doses très faibles. En dessous de 50 mg par litre, la présence du soufre est suffisamment minime pour que le vin puisse s'exprimer. Avec chaque réduction supplémentaire, il semble s'exprimer davantage.

Je n'oublierai jamais une expérience que j'ai eu la chance de faire au domaine de Pacina, en Toscane, où les vignerons Giovanna Tiezzi et Stefano Borsa m'ont fait goûter un rosé issu de vignes de Sangiovese : sec, fin, transparent, donc idéal pour un test. Il avait 18 mg de soufre, une dose très faible. Le vin était délicieux : vif, expressif, tendu. Ensuite, j'ai goûté le même vin dans une cuvée où il n'y avait pas un gramme de soufre ajouté. La différence était extraordinaire. Ce dernier vin s'exprimait avec la joie d'un enfant libre, en plein été. L'autre vin, c'était le même enfant, aussi vivant, mais rencontré un jour d'hiver.

Cela dit, il est évident que chaque vin, chaque terroir, chaque année, chaque personnalité de vigneron exigera des réactions différentes. Il faut faire attention aux idéologues qui souhaitent imposer une norme pour tout le monde à tout moment. C'est contraire à l'éthique du vin naturel, car, dans un même domaine, on peut trouver de très grandes divergences entre les vins.

Au Clos des Cimes dans la Drôme, par exemple, Élodie Aubert et son mari Raphaël Gonzales font leur vin tous les deux. Mais pas toujours ensemble et ils ne sont pas toujours d'accord, sachant que le respect de l'autre est dans les désaccords. Âgés de trente-cinq et trente-trois ans, ils se sont rencontrés en Suisse, à l'école d'ingénieurs de Changins. Revenus à Mérindol-les-Oliviers en 2006, sur les terres de la famille d'Élodie (lui, il est le fils d'une pharmacienne angevine), ils ont petit à petit augmenté les deux hectares de son père en six hectares de vignes à environ 700 mètres d'altitude. Mais, convaincus tous les deux que la monoculture est la mort du vivant – et que le vin doit être surtout le reflet du vivant dans toute sa complexité –, ils ont planté également des oliviers, des abricotiers et un potager. Aujourd'hui, avec deux jeunes enfants, c'est Élodie qui travaille plutôt dans les vignes tandis que Raphaël passe plus de temps dans la cave et en voyage à la recherche d'acheteurs pour leurs vins. Pour le moment, ils vivent avec 500, 600 euros par mois, dit Élodie, qui ne se plaint pas : « On a très peu de dettes. Ce n'est pas le Crédit Agricole qui va nous chasser de nos terres et je suis sûr que mes enfants ont une vie riche et merveilleuse. Et nous aussi, même si on doit tout faire seuls avec seulement l'aide de mon père. »

Elle a décidé d'acquérir – et d'entretenir elle-même – un troupeau de vingt-huit brebis, qui broutent dans ses vignes et oliviers parce qu'elle dit qu'il ne lui convient pas d'« utiliser le végétal uniquement pour prendre des choses à la terre. Il faut aussi, avec l'animal, en redonner ». Raphaël s'occupe plutôt des blancs et des rosés de leur domaine et Élodie des rouges. Les rouges sont 100 % sans soufre. Les blancs et le rosé, en revanche, en contiennent un peu, autour de 20 mg par litre (contre les 200 autorisés). Élodie et Raphaël ont des visions et des soucis différents, mais ces deux approches coexistent, paisiblement, de manière stimulante même, à l'intérieur du domaine. Sans doute l'esprit du vin naturel est-il incarné dans ce désaccord fécond car la fécondité touche la question de la terre elle-même, de l'éducation de leurs enfants au milieu des naissances des agneaux du troupeau et de la vitalité et de la complexité de l'acte civilisateur et (ré)novateur qu'ils proposent dans leurs bouteilles.

12

Une origine e(s)t une autre

On pourrait dire que le grand-père du vin naturel est Rudolf Steiner, même pour ceux qui – comme Élodie et Raphaël, sceptiques vis-à-vis de son aura de gourou – ne suivent pas l'expression concrète que sa pensée a léguée au monde agricole : la biodynamie. Philosophe autrichien de l'entre-deux-guerres, Steiner a vu dans l'agriculture un acte salvateur pour l'homme ravagé par l'urbanisation et la désacralisation générale (il anticipait Pasolini de cinquante ans). Le lien entre culture de la terre et culture des hommes était pour lui une évidence. Il a vu la manière dont la Première Guerre mondiale annonçait une spécialisation et une chimie meurtrières, vouées à la transformation artificielle de l'homme, le coupant de ses liens ancestraux avec la terre, le ciel et lui-même.

Dans ce qu'il appelait l'anthroposophie (« la sagesse de l'homme »), Steiner proposait une vision radicalement opposée au compartimentage et à la fragmentation du monde véhiculés par la modernité. Dans le domaine de l'éducation, sa pensée a donné ses fruits dans les écoles Waldorf qu'on trouve aujourd'hui de par le monde. Il prônait l'importance et l'interdépendance de l'ensemble des gestes humains, physiques, spirituels et intellectuels.

À l'école, un enfant, comme un adulte dans les vignes (ou ailleurs), ne peut pas travailler sur une seule chose sans prendre conscience de tout ce que comprend son écosystème. Par conséquent, chaque geste inscrit à l'intérieur d'un ensemble devrait lui-même être sensible à un plus petit ensemble, cherchant toujours à maintenir l'équilibre naturel.

Dans ces écoles, on étudie la géométrie. Mais on va aussi comprendre la géométrie de son propre corps à travers des activités physiques. Et la géométrie naturelle d'une plante qu'on va cultiver dans la classe. La géométrie elle-même devient ainsi à géométrie variable. Ensuite (car il y a toujours une suite dans l'anthroposophie), une activité physique, celle qui enseigne la géométrie par exemple, ne peut pas privilégier une seule partie du corps. Le football est un sport que les écoles steinériennes déconseillent car il développe un déséquilibre flagrant entre le bas et le haut du corps.

En ce qui concerne l'agriculture, il n'est pas difficile de comprendre que Steiner insistait sur la polyculture et la biodiversité – c'est-à-dire les pratiques qui ont régné pendant 10 000 ans jusqu'à la révolution industrielle et matérialiste du monde occidental au XIXe siècle. Il est suicidaire pour l'homme et pour la planète, soutenait Steiner dans les années 1920 et 1930, de cultiver une seule plante à l'exclusion des autres et il est apocalyptique de ne pas prendre en compte l'ensemble complexe de la vie végétale, animale, géologique et bactérienne d'un lieu. Il avait prévu la catastrophe écologique que l'agrochimie allait provoquer au XXe siècle : mort des sols, mort nutritionnelle des fruits de la terre, mort d'êtres humains. Entre-temps, une société frankensteinienne, vouée à compenser de manière hystérique, avec des cocktails chimiques qui retardent la fin des individus mais accélèrent la fin de l'Homme.

Les vignerons qui travaillent en biodynamie sont aussi différents dans leurs pensées et dans leurs actes que les philosophes qui s'inspirent de Platon ou les cinéastes qui voient un héritage en Eisenstein ou Chaplin. C'est pourquoi on peut retrouver dans la pratique de la biodynamie des personnages aussi divers que Jean-Marc Roulot à Meursault ou Aubert de Villaine de la Romanée-Conti en Bourgogne, Jean-Pierre Amoreau à Bordeaux, Nicolas Joly dans la Loire ou encore Jean-Pierre Frick en Alsace. Auxquels on peut ajouter un Vasco Croft au Portugal, un Stefano Bellotti ou un Camillo Donati en Italie, un Martin Nigl ou Andreas Tscheppe en Autriche, le couple Jacques et Marion Granges en Suisse ou Kelley Fox dans l'Oregon, aux États-Unis, et des milliers – peut-être même des dizaines de milliers – d'autres vignerons de par le monde.

Roulot n'est arrivé en biodynamie qu'en 2013, après avoir observé durant des années ses voisins Dominique Lafon ou Anne-Claude Leflaive, qui avaient franchi le pas dès les années 1980 et 1990. Mais il savait qu'il ne pourrait pas s'engager dans cette voie s'il n'en sentait pas la nécessité intérieure. Il n'était jamais question de suivre la mode. Déjà convaincu de l'effet bénéfique de la biodynamie sur ses sols, c'est pour lui un acte cartésien de comprendre empiriquement, « scientifiquement », ses climats, afin de rendre leur expression à travers le vin aussi proche de leurs terroirs que possible. Il lui a ainsi fallu une quinzaine d'années de réflexion avant de se lancer à son tour.

Amoreau, dans les côtes de Francs à Bordeaux, dit tout simplement : « Ma famille pratique le vin naturel depuis qu'elle a cette terre, c'est-à-dire depuis quatre cent dix ans. Jamais il n'y a eu une goutte de chimie sur nos terres ou dans nos caves. Passer à la biodynamie à partir de 1988 n'était pas contre la nature des choses. »

Nicolas Joly, un banquier français de Wall Street repenti et reconverti dans la vigne (familiale) angevine en 1977, est devenu un des porte-parole de la biodynamie, reconnu de par le monde. Dans son livre *Le Vin, du ciel à la terre*, il insiste sur l'aspect matériellement *religieux* de la nature où tout est relié par un principe créateur : « Les éléments ne doivent pas être séparés mais, au contraire, reliés entre eux. Leur synergie leur permet de s'exprimer clairement. Nous retrouvons ainsi le sens étymologique du mot "religieux" qui vient de "relier"[1]. » Son organisation Renaissance des appellations regroupe aujourd'hui 156 vignerons en France et en Italie.

Jean-Pierre Frick, fils de petit agriculteur protestant alsacien, est un modèle d'engagement civique, menant un combat contre la centrale nucléaire de Fessenheim, faisant partie des faucheurs volontaires de vignes OGM à Colmar, luttant pour la désobéissance citoyenne à chaque occasion. Imaginer que son vignoble de douze hectares est une communauté à respecter dans son ensemble n'est pas incohérent (nous le retrouverons dans les chapitres 20 et 21).

Vasco Croft, installé dans le Minho, au nord du Portugal, a abandonné sa carrière d'architecte à quarante ans pour travailler les six hectares de vignes familiales, produisant un rouge pétillant, Aphros, qui étonne par la force minérale

1. Nicolas Joly, *Le Vin, du ciel à la terre*, Paris, Sang de la Terre, 1997, p. 22.

qu'il tire de sols granitiques. Pour lui, le choix de la biodynamie était facile. Il a fondé la première école steinérienne à Lisbonne il y a vingt ans.

Stefano Bellotti, ami de longue date de Frick, a lu Steiner, Bakounine et beaucoup d'autres révolutionnaires dès qu'il a quitté l'école à seize ans pour devenir paysan (comme son grand-père). Il était un des premiers, dans les années 1970, en Italie, à faire du vin biodynamique. Il conduit aujourd'hui des centaines d'expériences scientifiques sur deux hectares voués à résoudre des problèmes agronomiques par la voie anthroposophique. En l'absence de tout intérêt de la part des universités italiennes pour la recherche agronomique non chimique, ce rebelle spirituel et matériel accueille des dizaines de jeunes qui viennent à sa Cascina degli Ulivi, comme à un séminaire agro-socratique.

Camillo Donati, dans les collines de Parme, produit des rouges et des blancs pétillants d'une fraîcheur, d'une pureté et d'une complexité terriennes qui font trembler (de joie) le buveur… à des prix de 6 à 10 euros la bouteille. Pour Camillo, fils et petit-fils de petits paysans, il n'y a aucune discontinuité entre la biodynamie, sa foi grande catholique et ses convictions politiques de fils fier d'un père résistant et communiste.

Jacques et Marion Granges, soixante-neuf et soixante-cinq ans, produisent dans le Valais des vins suisses parmi les plus expressifs, sur des pentes tellement raides qu'on ne peut y accéder que par funiculaire. En 1971, Jacques a interrompu son doctorat sur la lutte biologique contre les insectes pour démarrer une aventure concrète avec le domaine de Beudon. Marion, qui cultive les plantes médicinales et aromatiques autour des vignes, a fait son apprentissage en horticulture près de Thoune dans une école qui enseigne la biodynamie depuis 1934. Choix peu surprenant car ses grands-parents étaient amis avec Rudolf Steiner.

Pour Andreas Tscheppe, fils de très petit paysan dans la région pittoresque de la Styrie du sud autrichien, il n'est pas question de suivre « Steiner le philosophe ésotérique », mais tout simplement de renouer avec le bon sens paysan de son grand-père. À quelques kilomètres de la frontière avec la Slovénie, ses vins, issus de vignes majoritairement plantées après 2006 sur des collines ondulant à 360 degrés, sont époustouflants pour la pureté de leurs récits géologiques, topographiques et climatiques.

Kelley Fox, comme Jacques Granges, a aussi abandonné un doctorat en biochimie pour le vin. En 2010, après dix ans d'apprentissage dans d'importants domaines de l'Oregon, et alors qu'elle élevait ses deux filles seule, elle a loué trois hectares de vignoble plantés en pinot noir afin de faire ses propres vins. Lectrice passionnée de romans, surtout les anglais du XIXe siècle, elle prend du plaisir à décrire son engagement amoureux avec les vignes comme un acte profondément romantique. Récemment, elle a décrit sa conversion ainsi : « Je savais que j'aimais cela. Mais, en 2002, un ami a posé trois bouteilles de vin devant moi. J'ai pensé que c'était un *blind test*, courant à ce moment de l'année. Un de ces vins m'a illuminée comme rien ne l'avait jamais fait auparavant. J'ai pensé pour la première fois de ma vie : "Ce vin est VIVANT." Pas seulement vivant par ses levures. Pas seulement vivant parce que non stérilisé par la chimie, mais vivant comme la vie elle-même. Il m'avait illuminée de l'intérieur comme un feu sacré ; je me souviendrai toujours de ce moment. Eh bien, devinez quoi ? C'était le seul vin biodynamique sur les trois. C'était réglé pour moi, je savais ce que je devais faire. Et je le fais depuis ce jour fatidique, transportée chaque jour par ce miracle de l'amour. »

Ce qui unit ces vignerons si différents par leurs tempéraments et leurs aspirations, leurs positions sociales et leurs conceptions économiques et politiques, c'est une expression de l'universalité de la biodynamie. Leurs vignobles sont soignés avec une sensibilité envers toute la flore, la faune, et l'ensemble de la vie biologique au-dessus et – c'est tout aussi important – dans l'humus. Cette démarche les amène tous à une observation minutieuse de leur environnement, à un respect pour chaque chose vivante. Logiquement, un écosystème, un lieu, un terroir, n'est jamais seul. Il est toujours lié à son voisin au point qu'on doit forcément parler de l'ensemble, du « cosmos ».

On peut comprendre pourquoi les plus sceptiques et cartésiens des athées, parmi les biodynamistes, reconnaissent tout de même sa force religieuse, dans le sens le plus éclectique et tolérant du terme. Pour certains, elle est franciscaine. Et ce n'est pas un hasard si, dans son extraordinaire encyclique, en juin 2015, le pape François appelle à un renouveau du monde en des termes qui font écho à la biodynamie. Dans *La Croix*, Edgar Morin a écrit que : « L'encyclique "Laudato Si" est peut-être l'acte 1 d'un appel pour une nouvelle civilisation. » Morin définit la pensée du pape formulée par l'expression « l'écologie intégrale » ainsi : « Ce n'est surtout pas cette écologie profonde qui prétend convertir au culte de la terre, et tout lui subordonner. Il montre que l'écologie touche en profondeur nos vies, notre civilisation, nos modes d'agir, nos pensées. » Le titre de cette encyclique historique – car le pape François ose y définir tous les abus des hommes risquant de mettre fin à la civilisation – vient du cantique de saint François. Et le pape nous évoque constamment le sentiment franciscain de la sainteté de l'interdépendance de l'écosystème, évoquant simplement, humblement « le soleil frère, la lune sœur, le fleuve frère, la terre mère » et surtout, il écrit : « En tant que croyants, nous ne regardons pas le monde de l'extérieur mais de l'intérieur, conscients des liens avec lesquels le Père nous à liés à chaque être vivant. » Dans l'esprit de saint François qui prêchait aux oiseaux, il invoque habilement la science en affirmant « qu'une grande partie de notre code génétique est partagée par de nombreux êtres vivants ». Sans aucun doute, dans sa dénonciation d'une rupture mortelle avec la nature en raison de l'hystérie de la consommation, l'encyclique affirme les principes spirituels et concrets présents dans la biodynamie.

Les (simplement) dynamiques

Toutefois, il est important de souligner que tous les vignerons naturels ne suivent pas les protocoles de l'agriculture biodynamique (bien moins de la moitié, en fait).

Comment cela s'explique-t-il ? Steiner ne parlait jamais de vin dans ses propos sur l'agriculture. Et même si de nombreux vignerons naturels travaillent en biodynamie, tous les biodynamistes ne font pas du vin naturel. Et le marché vinicole est de plus en plus investi par de nombreuses bouteilles qui affichent ostensiblement leur biodynamie sur l'étiquette, comme pur argument de marketing, initiative d'industriels et de néo-œno-riches cyniques surfant sur le succès des vrais biodynamistes. Comme dans le vin simplement bio, la vinification biodynamique peut aussi sombrer dans mille et une altérations qui calibrent le vin comme produit de la volonté de l'homme, dominateur de la nature. Mais compte tenu de la liberté et de la diversité des interprétations du « naturel », le débat sur ce qui est naturel et ce qui ne l'est pas est ouvert et subtil, au-delà des principes de base esquissés plus haut.

On peut le comparer au néoréalisme italien des années 1950. Fellini, avec ses gestes baroques et fantaisistes, était un hérétique qui a trahi le mouvement aux yeux de certains idéologues. Tandis que, pour d'autres, avec plus d'humour (!), il incarnait la liberté et la fraîcheur du mouvement dans son originalité et son désir de partager cette liberté. Ce même débat, entre idéologues et éthiciens, existe, de manière parfois mesquine mais souvent vitale, aussi à l'intérieur du mouvement du vin naturel.

Au tournant des années 2000, à la racine « bio » et « biodynamique » s'est ajoutée une expression peut-être plus jeune, plus vive, plus « esthétique » et politique, axée sur une inquiétude devant le goût des vins et une critique de la standardisation des AOC. Surtout, ce renouveau porte une conscience écologique d'un nouveau type, moins militante dans le sens associatif et idéologique que pour les générations précédentes mais plus « naturelle » et intégrée dans tous les gestes quotidiens. C'est une révolution des papilles – mais des papilles « pensantes » –, déterminée par l'état des sols – puisque c'est la qualité des sols, comme on l'a vu, qui détermine le goût –, réagissant aussi à la standardisation et aux effets pervers du marché.

Dans cette démarche de la restauration du goût, Jules Chauvet fait figure d'initiateur et les « naturalistes » lui doivent autant qu'à Steiner. Chimiste, dégustateur qui considérait le vin comme une œuvre d'art et négociant dans le Beaujolais, Chauvet a exploré dès ses études, dans les années 1930, la biochimie du vin et la physiologie du goût chez l'homme. Il a révolutionné l'approche de la vinification en privilégiant une méthode naturelle, c'est-à-dire honnête et experte à la fois, en ayant le moins possible recours au soufre et à la chaptalisation, deux des maux principaux de la vinification avant l'ère chimique. Il s'est appuyé sur la tradition propre au Beaujolais et a expérimenté des processus de fermentation qui permettent d'éviter l'usage de soufre, il a approfondi ainsi sa connaissance de la constitution des arômes, le but étant de faire des vins fins, précis et digestes. (Un de ses livres s'intitule *L'Esthétique du vin*.) Pour lui, l'enjeu n'est pas strictement environnemental mais aussi et surtout culturel : c'est la recherche de la plus profonde expression d'un terroir.

Une poignée de vignerons du Beaujolais vont le suivre dans l'expérimentation, au début des années 1980, et former avec lui le noyau originaire des vignerons dits naturels. Les premiers évangélistes sont Marcel Lapierre, Jean Foillard, Guy Breton, Jean-Paul Thévenet en appellation morgon ; Georges Descombes en brouilly ; Yvon Métras en fleurie. Et ailleurs Pierre Overnoy en arbois-pupillin, René-Jean Dard et François Ribo dans le Rhône, Gérald Oustric et Hervé Souhaut en Ardèche, Claude Courtois en Sologne et Frick en Alsace, entre autres.

Cette racine est plus politique et a su donner naissance à une culture nouvelle du vin qui se développe parallèlement – donc en évitant de la croiser – à la culture industrielle. Un espace inédit a été créé.

Le mouvement des vins naturels est un mouvement culturel. Il a dû inventer un nouveau marché car il est doublement opposé à la tendance dominante du marché industriel : la standardisation. De nombreux vignerons naturels sont d'ailleurs sortis de l'AOC, plus ou moins volontairement, pour constater que cela n'avait pas d'influence sur leurs ventes, voire que cela créait une forme de confiance nouvelle chez les buveurs.

L'AOC est un instrument à double face. Elle est censée protéger le lien entre le terroir et le vin mais elle est surtout devenue un argument commercial reposant sur l'idée de typicité. Or cette dernière, hélas, n'implique pas une typicité qui distingue, qui singularise le vin, mais plutôt une typicité qui crée un standard. Ayant perdu les vrais goûts des terroirs à cause de la destruction des sols, les AOC ne savaient plus quoi défendre. Elles ont peu à peu opté pour des descriptions de cette « typicité » qui correspondent et valident les résultats de levures de laboratoire et de goûts construits (le célèbre goût de banane du beaujolais nouveau) dans les mêmes conditions. La rhétorique du terroir des cavistes et des critiques, qui découle de ce marketing, est elle aussi standardisée.

Dans le cadre d'un marché global, l'AOC sert surtout à identifier le produit et à lui donner une identité constante ; saveur, arômes, couleur, texture. Or cette approche de la constante est contraire à l'idée de vin naturel. Ce dernier propose d'ouvrir le champ des possibles et de laisser s'exprimer la variabilité des saveurs selon l'année, la personnalité du vigneron, les changements des microclimats… et surtout selon une vitalité immaîtrisable.

Ce qui veut dire qu'il y a bien une identité commune aux vins naturels, mais avec tellement de variations, d'histoires ou d'expériences que cette expression est tout sauf un standard. La notion de label sur le produit en devient absurde, le vin naturel est surtout le fruit d'une démarche. Avec l'AOC, nous n'avons que le goût du vin lui-même, fabriqué selon des normes et coupé de tout, remplaçant le goût de la terre dont il est le vecteur depuis toujours, et qu'on retrouve si bien et si puissamment dans les vins naturels.

Ainsi, plus de la moitié des vins naturels, surtout ceux qui ont réhabilité des terroirs perdus, ne reçoivent pas la bénédiction administrative de l'AOC. Chaque année, de plus en plus de vignerons décident de ne plus y présenter leurs vins. En dix ans, des buveurs à Paris, Tokyo, Londres et ailleurs, ont compris que les vrais vins de terroir aujourd'hui sont souvent ceux qui ont sur l'étiquette la mention « Vin de France » ou « IGP » en Italie. L'authenticité d'un vin n'a bien sûr rien à voir avec ce qu'en dit son étiquette et, d'ailleurs, dans le vin naturel, celle-ci est souvent l'occasion d'un gag, d'un dessin du vigneron ou de son ami(e) voire d'un jeu de mots grivois. Il ne leur est pas utile de mimer la tradition à l'extérieur, elle est à l'intérieur.

Ce renoncement à l'AOC est une liberté pour certains, une tristesse pour d'autres. Jean-Pierre Frick, l'Alsacien par exemple, estime que c'est son devoir de militer chaque année pour l'agrément, même quand ça comprend des humiliations et des refus. Pour lui, défendre sa conception du terroir à l'intérieur des AOC est essentiel.

C'est aussi l'avis de Thierry Puzelat qui, néanmoins, reconnaît que les appellations sont « très éloignées de leur vocation première » et qu'elles ne sont plus qu'une « indication géographique très simple, qui dit d'où vient le vin mais ne garantit rien en termes de qualité ou d'authenticité ». Cependant, il affirme : « Il y a une part de fainéantise, aujourd'hui, chez certains producteurs de vins naturels. Dans la mesure où ils vendent leur vin aussi bien en vin de France qu'en AOC, plein de gens ne veulent plus s'emmerder avec toutes les contraintes administratives et financières de l'AOC, donc ils sortent. Je crois qu'il faut aller se confronter aux autres et revendiquer le droit à l'appellation. Sinon, tu ne fais pas bouger les choses. »

Il continue : « Et on abandonne aux industriels le nom qui est le mieux représenté par les producteurs de vin naturel. Aller se confronter à des types "classiques", avec lesquels on n'a pas grand-chose à partager, c'est aller batailler pour faire valoir ce qu'on fait. C'est un déni de l'appellation, de l'identité et de l'histoire d'un lieu, que de l'abandonner aux vins les moins représentatifs de l'appellation. »

Il conclut en précisant : « Quand tu es dans un dialogue, il y a un moment où les gens te comprennent et même adhèrent. On est passés de nos douze hectares de vignes en bio à aujourd'hui soixante pour cent de l'AOC cheverny en bio. Trois cents hectares en bio sur cinq cents en tout, ce n'est pas énorme mais, par rapport aux moyennes nationales, c'est beaucoup. »

À l'inverse, comme beaucoup de vignerons naturels de la nouvelle génération, Mathias Marquet est sorti de l'AOC bergerac. Il précise que, dans le monde parallèle où il vend son vin, ne pas avoir l'AOC ne pose aucun problème et que c'est presque un atout.

Ce mouvement de révolte pacifique et constructif repose sur une déconnexion, un pas de côté, la création d'un nouvel espace d'échanges. Et ces échanges ne se réduisent pas à leur dimension économique, comme partout ailleurs, aussi et surtout, ils font œuvre de culture. C'est-à-dire qu'ils sont consciemment en état de révolte contre l'hégémonie économique, faisant un trait d'union entre culture campagnarde et culture urbaine.

Renaud Combes, trente-sept ans, ancien étudiant aux Beaux-Arts, a ouvert sa propre cave, *La Contre-Étiquette*, à Nantes en 2013, après cinq ans d'apprentissage dans une cave parisienne du même nom. Pour lui, l'aspect culturel est fondamental : « J'ai commencé à peindre et à dessiner parce que ça me faisait du bien à moi. Avec le graffiti, j'ai découvert que nous pouvions nous faire du bien entre nous, et je ne comprenais pas la haine des gens pour quelques dessins sur les murs de leurs villes, alors que Basquiat, Keith Haring, ou Banksy sont dans les musées et les galeries d'art. Moi qui pensais apporter un peu de couleur aux gens, je me suis retrouvé hors la loi.

« Après les Beaux-Arts, je devais gagner ma vie, alors j'ai trouvé un boulot qu'on considérait comme idéal : la facilitation graphique. Aider les gens à échanger mieux grâce au dessin ! Seulement, quand on m'a proposé une mission pour Monsanto, j'ai naturellement refusé. Ce que mes collègues ne comprenaient pas car ils payaient très bien ! Après réflexion, je me suis dit que les deux personnes qui me rendaient le plus heureux – à part ma mère et ma femme – étaient mon ostéopathe et mon caviste. Ostéopathe : six ans d'études... tu auras compris ! Alors, option : école de sommellerie où j'ai entendu parler pour la première fois de vins naturels. »

Le déclic s'est fait tout de suite : « Joseph Beuys disait quelque chose comme : "Pour moi, le pourquoi prime le comment, puisque le comment découle du pourquoi." Je trouve cette vérité dans le vin naturel. Avec ma cave à Nantes, je suis plutôt pauvre et fatigué, mais profondément heureux, fier de représenter ces vignerons. Comparé à eux, nous autres cavistes avons le beau rôle ! Ce sont les vignerons qui se cassent le dos dans la campagne, et nous qui recevons les éloges en ville ! Ce qui, je pense, doit nous pousser encore plus vers une éthique forte : humaine, économique, environnementale, sociale. »

Prenons encore le cas de Gian Luca Gargano, un entrepreneur génois, la soixantaine, un personnage de Jules Verne. Propriétaire d'une des plus importantes entreprises d'importation d'alcools et spiritueux de qualité d'Italie, il garde depuis toujours un contact direct avec de nombreux paysans et vignerons de sa Ligurie natale et du sud du Piémont. Gargano a pu voir arriver l'insurrection des vignerons naturels. Homme joyeusement, férocement libre, il a été tout de suite mordu.

Il y a dix ans, il a décidé de *déplacer* son argent gagné dans le domaine des alcools fins pour créer le réseau le plus étendu de distribution de vins naturels en Italie. Constatant vite qu'il ne suffisait pas de « vendre » ce vin – qu'il reconnaît comme n'étant pas (simplement) un produit, mais un « artefact de la campagne », comme il dit –, il lui a fallu repenser tous les aspects de sa démarche. Il a demandé, par exemple, à son ami d'enfance, le vigneron-agriculteur piémontais Stefano Bellotti, d'agrandir son potager dans sa ferme biodynamique à Novi Ligure, Cascina degli Ulivi, où il élève une vingtaine de vaches, des poules, des oies, des canards, et cultive six hectares de céréales et douze hectares de vigne. Aujourd'hui, Gargano fait livrer, depuis Cascina degli Ulivi, à Gênes, deux fois par semaine assez de fruits, de légumes, de pain, d'œufs et de fromages pour alimenter ses quarante-cinq employés et leurs familles : ceux qui travaillent pour le Triple A, distribution de vins, mais aussi ceux qui travaillent chez Velier, son entreprise d'alcools. Tout cela leur est offert, en plus de leurs salaires. En 2005, quand il a fait la proposition à Bellotti, l'agriculteur lui a répondu : « Fais gaffe, car, si tu fais ça, tous tes employés deviendront libres et intelligents. » Gargano aujourd'hui raconte : « Et c'était vrai ! Ils sont presque tous restés ! »

Il n'y a pas longtemps, Gargano était invité à la télévision italienne afin de débattre avec un œnologue de l'industrie vinicole. L'ayant déjà repéré comme l'enfant terrible des « *naturalisti* », la télévision cherchait la polémique. Son adversaire était connu pour sa défense acharnée des pesticides et de tout l'arsenal chimique de l'agriculture et de la viticulture contemporaines (l'entendre comme « art contemporain »). Pendant l'émission, Gargano s'est fait attaquer, traiter de vaudouiste et de mystique, qui ne comprenait rien à la réalité de la terre. Alors Gargano a souri, il a mis la main dans sa poche et en a retiré une motte de terre. Il a ensuite expliqué que la terre venait des vignobles de son ami Stefano Bellotti. Tout à coup, il avale un bon bout de la motte de terre. Devant les gens stupéfaits, il tire calmement de l'autre poche un flacon de Roundup de Monsanto, le désherbant le plus utilisé au monde. « Maintenant, pour montrer votre bonne foi… et la solidité de vos convictions, je vous invite à boire ce flacon. » Le gars a rouspété et ils ont terminé sur-le-champ la retransmission en direct.

Mais le cas le plus exemplaire de cette insurrection éthique est peut-être celui d'un restaurateur romain, Leonardo Vignoli. Né en 1967 à Monterotondo, à vingt-cinq kilomètres de Rome, il est le fils d'un barbier et d'une mère qui, avec sa grand-mère et sa tante, a éduqué très tôt son palais avec la cuisine romaine populaire. Après avoir travaillé durant dix ans dans des restaurants étoilés Michelin, dans le centre et le sud de la France, il est revenu en Italie, dégoûté par ce monde qui conçoit la gastronomie et le vin comme des produits de luxe. Vignoli voulait retrouver ses racines romaines pour mettre les recettes des femmes de sa famille au service d'une idée qu'il qualifiait de gramscienne : l'héritage familial.

Avec l'argent mis de côté durant ces dix années de pénitence gastronomique, il a acheté le restaurant Da Cesare en 2009, où le vrai Cesare continue d'ailleurs de venir tous les mardis soir, avec ses amis, pour dîner et jouer aux cartes, geste peu commun pour un ancien propriétaire de restaurant.

Les plats y sont strictement romains – Vignoli a complètement tourné le dos à la « cuisine de luxe » –, mais la grâce et la précision de son savoir-faire acquis en France proposent une romanité culinaire servie par une main d'une délicatesse exceptionnelle.

Da Cesare est une *trattoria* agréable mais sans chichi, située dans le non moins banal quartier de Monteverde Nuovo, car, justement, ce ne sont pas les apparences qu'il cherchait. Aussi important pour Vignoli que l'origine des ingrédients locaux, il y a son engagement vis-à-vis de ses fournisseurs, vis-à-vis de ses cuisiniers bangladais qui élaborent des plats rigoureusement romains, et vis-à-vis du choix des vins.

Conscient que « nous sommes dans une société où toutes les valeurs sont ramenées en dernier ressort à leur dimension financière, où l'argent est devenu politique », il a compris que personne ne peut échapper à la responsabilité de considérer les prix et les coûts dans son activité culturelle. C'est devenu, et de manière aiguë, pour chaque artiste ou artisan, une préoccupation aussi importante que les considérations esthétiques ou morales. Chez Da Cesare, la politique des prix est portée à un niveau de réflexion remarquable.

Par exemple, la carte des vins d'un restaurant est généralement un instrument puissant pour matraquer le client et faire de son dîner une séance de soumission craintive, sinon d'humiliation. Aussi bien à cause de l'écrasante densité des vins proposés qu'à cause de la gêne que suscitent les prix, même chez le plus fanatique des capitalistes. Et, après tout, dans quelle autre activité rencontre-t-on une pratique habituelle qui consiste à acheter un produit fini – ici une bouteille de vin – 10 euros et à le revendre 30 à 40 euros, sans y ajouter aucun travail ? Dans le business de la restauration, de Rome à New York, une marge de 300 à 500 % sur une bouteille de vin est considérée comme normale. Et souvent elle atteint 600 à 700 %. Si vous considérez alors que la plupart des vins conventionnels sont déjà vendus à des prix gonflés, fondés non pas sur les vrais coûts du travail mais inventés par rapport à une spéculation sur leur valeur potentielle, boire une bouteille dans une *trattoria* romaine, un bistrot parisien ou un restaurant new-yorkais inflige une douleur insupportable à ceux qui connaissent bien les pratiques.

Chez Da Cesare, il n'y a pas de carte des vins, ce qui se révèle être une solution très démocratique. Ce que Vignoli propose à la place ? C'est d'aller dénicher des vins artisanaux, pratiquement toujours naturels (mais pas exclusivement, par méfiance vis-à-vis du fanatisme), des vins qui l'émeuvent non seulement par la joie provoquée par leur goût mais aussi parce qu'il est sûr de l'engagement du vigneron. Ces bouteilles sont empilées sur des étagères accueillant les clients à leur arrivée ou superposées dans des frigos près des tables, disponibles ici et là pour que les gens se servent comme ils le souhaitent. Ou pas. Parce que Vignoli et sa jeune équipe sont toujours ravis de remplir des verres et de suggérer des bouteilles à la commande. Et si un échange avec un client le stimule, il peut descendre à la cave et sortir une bouteille parmi les centaines qu'il pourrait – mais ne se sent pas obligé de – vendre. Le vin devient dans ce cas quelque chose de personnel, en relation avec chaque table et avec tout le restaurant.

Ce qui est important pour Vignoli, dans le choix des vignerons, c'est aussi le prix. S'il achète une bouteille 10 euros, il ne la vendra pas 30, 40 ou 50 euros comme les autres restaurateurs, mais plus sûrement 15 ou 16 euros. Et son raisonnement est limpide : « Si un paysan se casse les reins pour produire un vrai vin et ne cherche pas spécialement à s'enrichir avec son travail, qui suis-je, moi, pour spéculer sur le dos du sacrifice personnel d'autrui ? »

Il a édifié son vin blanc de table en contre-exemple parfait. « Corrado Dottori dans les Marches a fait son verdicchio *sfuso* ("en vrac") de telle sorte que les gens de Cupramontana aux moyens limités puissent s'offrir autre chose à boire qu'un vin industriel toxique. Surtout ceux qui achètent les vins bas de gamme au supermarché. En vendant sa bonbonne de cinq litres à 12 euros, il permet à chacun dans la chaîne économique de participer à une expérience sociale de qualité, de bonne santé et de joie. Il veut étendre cette expérience ici. Ce qui est pour moi un honneur. »

Cette conviction concerne tous les aspects de l'activité de la *trattoria*, des *gnocchi* frits au fromage de brebis et poivre, le fameux « *cacio e pepe* » romain, que mes enfants dégustent dans un silence religieux (le seul moment de silence qu'ils observent dans la journée), jusqu'aux extatiques *rigatoni* à la sauce tomate et queues de bœuf ou à ses fameuses paupiettes au pesto bouillies durant six heures. Chacun de ces plats coûte moins de 10 euros. Quand il est questionné à propos des prix, Vignoli, normalement suave et doux, devient emphatique : « Certains vignerons justifient leurs prix élevés en clamant que tout leur savoir-faire est dans la bouteille. Mais la connaissance ne saurait avoir de prix. Vous ne pouvez pas faire payer votre savoir aux autres. Dois-je augmenter le prix de mes boulettes de viande au pesto, qui sont les plus vendues ? Non ! Je ne ferai jamais payer quelqu'un pour ce que je sais. »

Dans le mouvement du vin naturel, l'économie a donc un rôle important, mais un rôle ramené à sa juste place… Ce qui entraîne une réflexion sur le monde de la culture qui connaît une si grande crise. Le monde du vin naturel rassemble des vignerons, des distributeurs, des importateurs, des restaurateurs, des cavistes et même de simples buveurs engagés par leur geste, appelés des francs-buveurs, qui participent tous à la pérennité de cet univers. Il n'y a pas des producteurs d'un côté et des consommateurs de l'autre, mais une coopération de tous pour propager le plaisir et soutenir la qualité non pas seulement du produit mais aussi des partages.

Ce mouvement peut ainsi être compris comme une réaction aux marges de la culture classique mais, en fait, en son origine même, à la société du spectacle que Guy Debord avait pointée. Contre une sorte de vin spectaculaire promu par l'industrie, le mouvement du vin naturel répond par des gestes concrets, non philosophiques mais empreints de pensée, pour *trouver* une authenticité nouvelle dans le produit, fondée sur son usage plus que sur son image. C'est un vin qui se boit et se conserve et non un vin qui se collectionne (même si, comme les vieux bordeaux et bourgognes de l'ère préchimique, ils peuvent se bonifier avec le temps beaucoup plus que les vins artificiels de l'ère moderne).

Debord, lui-même grand amateur de vin naturel et particulièrement de ceux de Marcel Lapierre qui était son ami, disait, en 1989, juste avant que naisse le mouvement : « La majorité des vins, presque tous les alcools, et la totalité des bières dont j'ai évoqué ici le souvenir ont aujourd'hui entièrement perdu leur goût, d'abord sur le marché mondial, puis localement ; avec les progrès de l'industrie. […]

Les bouteilles, pour continuer à se vendre, ont gardé fidèlement leurs étiquettes, et cette exactitude fournit l'assurance que l'on peut les photographier comme elles étaient ; non les boire. » Et il ajoutait, mélancolique : « De mémoire d'ivrogne, on n'avait jamais imaginé que l'on pourrait voir des boissons disparaître du monde avant le buveur[1]. »

Le mouvement des vins naturels a répondu à cet avertissement.

L'ensemble de notre société dépendant du capitalisme repose sur la chimie et sur la spéculation. Sans chimie, sans spéculation, sans cette falsification conjointement scientifique et commerciale de la matière, il n'y aurait pas eu d'essor de l'Occident. C'est le détournement de la recherche scientifique au profit de l'industrie naissante au XIXe siècle qui a produit les plus grands empires industriels. Le progrès et la domination occidentale du monde sont chimiques ! L'énergie pétrolière, la phamarco-industrie, les matériaux plastiques, l'armement et, bien sûr, l'agrochimie ont été les débouchés commerciaux trouvés pour des molécules de synthèse. Le circuit est toujours le même. On invente une nouvelle substance, on lui trouve un usage commercial possible, on en fait un besoin ou un progrès, jusqu'à ce qu'elle devienne un poison aux yeux du public et qu'on invente une nouvelle substance pour y remédier et la remplacer.

Dans *À nos amis*, son dernier essai, le Comité invisible en présente une conséquence ainsi : « Pour que l'économie puisse prétendre au statut de "science des comportements", encore a-t-il fallu faire proliférer à la surface de la Terre la créature économique – l'être de besoin. L'être de besoin, le

---

1. Guy Debord, *Panégyrique*, t. 1, Paris, Gérard Lebovici, 1989, p. 50-51.

besogneux n'est pas de nature. Longtemps il n'y a eu que des façons de vivre, et non des besoins. On habitait une certaine portion de ce monde et l'on savait comment s'y nourrir, s'y vêtir, s'y amuser, s'y faire un toit. Les besoins ont été historiquement produits par l'arrachement des hommes à leur monde. Que cela ait pris la forme de la razzia, de l'expropriation, des enclosures ou de la colonisation, peu importe. Les besoins sont ce dont l'économie a gratifié l'homme pour prix du monde dont elle l'a privé. »

Le capitalisme lui-même se développe en même temps que la chimie et repose sur quelques centaines ou milliers de ces molécules de synthèse qui ont redéfini le monde et la nature aux couleurs des grands groupes industriels. Aujourd'hui, compte tenu que le chiffre d'affaires de l'industrie chimique dépasse même le PIB des États-Unis, on comprend bien l'impuissance des États devant la primauté supra-étatique des fabricants de molécules.

Chris Hedges, journaliste américain et auteur de *Wages of rebellion. The Moral Imperative of Revolt*[1] l'explique ainsi : « On a subi un coup d'État des entreprises au ralenti. Et c'est fini. Les mécanismes normaux avec lesquels on effectue des réformes successives et partielles à travers les institutions ne fonctionnent plus. Ils ont été captés par le pouvoir des entreprises, médias compris. Sans contraintes internes par nature et maintenant sans contraintes externes, il est inévitable qu'elles iront jusqu'au bout, jusqu'à l'épuisement ou l'écroulement. »

La douce révolte des agriculteurs-vignerons naturels et de leurs passeurs urbains devant ce monde rendu synthétique

1. « Le salaire de la rébellion, l'injonction morale à la révolte ». Traduction des auteurs.

par la chimie industrielle et la spéculation nous propose un des rares exemples réussis de révolte efficace. Le Comité invisible pensait-il déjà à eux en écrivant ce qui suit ?

« Dans l'inconscience générale des rapports sociaux, les révolutionnaires doivent se singulariser par la densité de pensée, d'affection, de finesse, d'organisation, qu'ils parviennent à mettre en œuvre, et non par leur disposition à la scission, à l'intransigeance sans objet ou par la concurrence désastreuse sur le terrain d'une radicalité fantasmatique. C'est par *l'attention au phénomène*, par leurs qualités sensibles qu'ils parviendront à devenir une réelle puissance, et non par cohérence idéologique.

« L'incompréhension, l'impatience et la négligence, voilà l'ennemi.

« Le réel est ce qui résiste. »

13

Vinoccupy

Aujourd'hui, beaucoup trop d'acteurs culturels ont peur de revendiquer dans leur pratique un geste vraiment radical, motivé par un besoin intérieur. Pas un geste radical des années 1930 ou même 1960, mais un geste radical d'aujourd'hui, en lien avec le monde chimique et spéculatif d'aujourd'hui. Le mot radical lui-même est devenu un atout commercial pour des artistes qui confondent souvent la transgression et la provocation. La caricature est devenue caricaturale au point qu'elle est défendue par les pires condottieres du pouvoir économique. Mais le vrai geste radical, qui s'en prend à la racine et pas aux feuillages, ne correspond plus à ce qu'autorise et promeut l'idéologie néolibérale qui règne en maître dans les industries culturelles, la presse institutionnelle, comme partout ailleurs. Selon elle, ce qui ne produit pas d'intérêt immédiat pour soi-même, est méprisable.

Selon ce monothéisme globalisé, réussir – à travers la consommation et l'accumulation – est l'objectif ultime de toute entreprise humaine (dérive lourdement condannée dans l'encyclique récente du pape, en dépit de l'histoire de sa propre Église). Ce qui incite à préférer le plaire à l'être, pousse à chercher le rentable, l'efficace, le placement sûr. Le compromis et l'autocensure pèsent sur les choix et les démarches, dans chaque métier, dans chaque domaine, et chacun se courbe à sa manière, plus ou moins claire, y compris, bien sûr, dans le cinéma. L'autocensure est une manière de plus particulièrement sournoise. Cette peur finit par tuer le sens même de l'expression cinématographique qui ne peut renoncer à sa radicalité qu'au prix d'une asphyxie lente et progressive.

À l'inverse, dans le vin naturel, les acteurs, qui tendent à nourrir au lieu de donner à consommer, à épurer au lieu d'accumuler, ont gagné une liberté, une joie partagée et une vitalité contagieuse parce qu'ils n'ont pas eu peur d'agir, même quand ils étaient seuls, isolés et mal vus. Ils n'ont pas eu peur de ne pas traiter les vignes quand tout le monde le faisait. Ils n'ont pas eu peur de rater une vinification, fragilisant ainsi leur statut économique déjà précaire. Ils n'ont pas eu peur d'aller contre toutes les règles et toutes les recommandations officielles. Ils n'ont pas eu peur d'être exilés des centres de pouvoir ou de faire face à un boycott commercial (ce qui leur est arrivé partout jusqu'au milieu des années 2000). Ils n'ont pas eu peur du ridicule ni de l'œil moqueur de leurs voisins qui les traitaient souvent d'extraterrestres. Ils n'ont toujours pas peur du harcèlement administratif et juridique mené par les institutions gouvernementales qui s'intensifie avec leur succès économique.

Le vin naturel suppose avant tout de rompre avec la peur et de choisir résolument, et avec un courage qui souvent s'ignore, l'expérimentation et la confiance. De ce premier geste de révolte personnelle, spontanée et non idéologique qui venait de la campagne est née par la suite une révolte urbaine. Restaurateurs, cavistes puis importateurs étrangers, aux quatre coins du monde, ont repris la posture des paysans et l'ont traduite dans les villes.

On peut comparer ce mouvement d'insurrection pacifique à des mouvements contemporains comme Los Indignados en Espagne ou Occupy Wall Street aux États-Unis, dans la mesure où une révolte citoyenne contre un pouvoir polymorphe a trouvé une solidarité immédiate et s'est répandue rapidement. Mais, à l'inverse de Los Indignados ou d'Occupy qui se sont vite désintégrés par manque de propositions concrètes (même si le parti politique Podemos s'en est inspiré), les vignerons naturels ont réussi à transformer leur révolte spontanée, appuyée sur des considérations éthiques, en un geste non seulement concret mais viable. Ils ont inventé un nouveau modèle économique, ce qui a permis l'enracinement du mouvement et que chacun vive de son vin, souvent modestement mais toujours avec dignité. C'est une idée provocante pour de nombreux artistes qui, après des décennies passées à espérer la gloire et la richesse, à l'instar des plus priviligiés, vivent plutôt dans la situation inverse aujourd'hui.

En principe, dans ce mouvement, le paysan, lui, ne devient pas riche, le caviste ne rêve pas d'être Nicolas, le restaurateur renonce souvent à la spéculation sur les étiquettes. Le redimensionnement de l'ambition à des proportions plus humaines et plus citoyennes est une des clefs du développement du mouvement du vin naturel. Il déplace les enjeux purement marchands vers des enjeux existentiels, sociétaux, politiques et économiques. Mais cette dernière part n'est pas mise en avant, elle n'est pas le but ultime du travail. Et chacun a sa façon de procéder, chacun a son histoire. Ce n'est pas un faux marxisme ni un conformisme idéologique. C'est un foisonnement créatif, un retour à une production artisanale et solidaire qui redonne tout son sens et toute son importance au mot culture.

C'est aussi un mouvement qui, par un geste paysan, une prise de conscience par des agriculteurs, est à l'avant-garde des mouvements écologistes et propose un nouveau rapport au local. Il s'enracine en dehors de la culture urbaine, mais y revient sans cesse et ne s'en sépare pas, ne s'y oppose pas. Il ne s'agit pas de jouer la campagne contre la ville, mais d'atténuer la rupture entre les deux, d'abolir les frontières tout en retrouvant le sens du lieu. Double mouvement contradictoire mais profondément cohérent, puisque, comme le disait Miguel Torga, grand maître portugais de la culture paysanne et de la poésie : « L'universel, c'est le local moins les murs. »

Les vignerons *naturalistes* sont généralement cosmopolites, souvent polyglottes et ils voyagent comme jamais les paysans n'ont voyagé. Souvent ce sont des gens qui ont fait des études d'agronomie et de viticulture, mais qui ont aussi étudié les lettres, la philosophie, l'économie, parfois même le marketing, comme Mathias Marquet (« J'ai connu le diable », a-t-il dit, avant sa conversion).

Souvent ce sont des ex-urbains reconvertis en paysans, comme Émile Hérédia, assistant cameraman dans le cinéma, photographe de guerre pour *Paris Match*, qui a créé un domaine dans les côtes du Vendômois en 1999. Dans une région peu célèbre, Hérédia a été séduit par la découverte de très anciennes vignes d'un cépage peu à la mode, le pineau d'Aunis, des pieds de vigne qui dataient de 1870, avant l'arrivée du phylloxéra[1]. Hérédia est assez représentatif des

---

1. Le phylloxéra a détruit 99 % des vignes européennes à partir de la fin du XIXe siècle et nécessité que toutes les vignes soient greffées, phénomène

néo-vignerons qui composent peut-être un tiers ou la moitié des vignerons naturels. Citoyen éveillé, homme curieux de la culture dans toutes ses expressions, à quarante ans, il a décidé que ni le métier (déjà mourant à l'époque) de photojournaliste, ni celui de cameraman de cinéma ne pouvaient satisfaire ses désirs créatifs et combatifs (dans le sens de « lutter pour » plutôt que « contre »).

Il y a ceux qui n'ont jamais compris la notion de terroir, et qui pensent qu'elle renvoie au vieux paysan ou à l'aristocrate ancrés (et figés) dans la tradition, attachés à la défense des valeurs de la vieille France. Certes, le terroir est la conjonction des caractéristiques d'un sol et d'un microclimat avec l'histoire et la culture d'un lieu, c'est-à-dire la rencontre de l'histoire de la terre avec l'histoire de l'homme. Mais, comme les artistes l'ont toujours montré, dans chaque terroir, ce sont le talent, l'intelligence, l'ouverture d'esprit, la passion du travail qui sont les moteurs profonds de la transmission vivante et féconde du passé. Aucune priorité n'est accordée au (soi-disant) autochtone, qui peut très bien se révéler être un mauvais passeur. Si le talent était héréditaire, l'histoire de l'art aurait compté les Renoir ou les Ophüls, père et fils, comme des modèles universels et non comme des exceptions.

Les vignerons naturels, que ce soit un Thierry Puzelat, fils et petit-fils de paysans à Cheverny, ou son ami et « voisin », le néo-vendômois et néo-vigneron, Émile Hérédia, montrent que la défense du terroir, c'est-à-dire la dynamisation d'une terre, est ouverte à tous. Dans un journal régional, *La Nouvelle République*, une journaliste a même qualifié

---

semblable en effet au travail de restauration de fresques de manière « interventionniste »... On ne saura jamais comment c'était avant. Il reste moins d'un pour cent de vignes pré-phylloxériques aujourd'hui en France.

Émile Hérédia d'« encyclopédie vivante de ce cépage » et de « promoteur enflammé du pineau d'Aunis ». Comme quoi le pineau enflammé... peut aussi faire rêver.

En fait, on pourrait même qualifier son ami Thierry Puzelat de nouveau paysan. Au-delà de ses racines paysannes, Puzelat s'est inventé une culture qui dépasse sa culture locale. Il a acquis une connaissance intime des vins de France, de Géorgie, d'Italie, d'Espagne et du monde entier. Mais ce qui le constitue en profondeur comme individu et comme vigneron naturel, c'est surtout une culture de voyages, de rencontres et d'amitiés, qui vont bien au-delà du vin lui-même. N'ayant jamais perdu le désir de partager son terroir, il est en même temps devenu le champion et l'importateur principal des vins naturels géorgiens. En insistant sur la richesse patrimoniale de la Géorgie (qui est peut-être la région du Caucase où le vin a été inventé il y a près de huit mille ans, en tout cas celle où on en trouve les traces les plus anciennes et où on utilise encore des méthodes ancestrales), Puzelat organise des dîners pour faire connaître ces vins et leur histoire, et fait venir les vignerons géorgiens dans des salons en France.

Grand globe-trotter, Puzelat ne néglige pas l'aspect local de la vie associative. Chaque année, il organise notamment une rencontre des vins du Loir-et-Cher à Orléans. Qui y invite-t-il ? Uniquement les vignerons naturels du coin comme Émile Hérédia ? Non. Pour lui, le dialogue est crucial. Tout en étant un des premiers à défendre la rigueur du vin naturel, il invite aussi bien les vignerons naturels que ceux qui ne travaillent qu'en biodynamie dans les vignes, des viticulteurs bio et même ceux qui n'ont pas encore pris (ou ne prendront peut-être jamais) le chemin du vin biologique, mais souhaitent échanger sur ces questions.

Si Puzelat est un citoyen engagé, il est aussi un commerçant et un paysan avisé, qui a su accompagner l'élan économique de la révolution du vin naturel. En dehors de la renommée apportée au domaine familial, il a compris qu'il y avait un changement radical possible sur un marché alternatif. Il s'est mis à faire du négoce avec Hervé Villemade, son voisin vigneron à Cheverny. Dans un sens, cela aide d'autres vignerons, donc c'est aussi un acte social et politique. Mais c'est surtout un acte de commerce, car cela lui permet d'augmenter son volume de vin, sans toucher à la qualité des vins de son domaine familial, Le Clos du Tue-Bœuf. Que son vin de négoce n'atteigne pas, à mon sens, la qualité de son vin du domaine est un autre débat. En tout cas, il a vu très tôt que l'explosion du vin naturel à l'étranger pourrait porter des fruits intéressants. Outre les vins géorgiens, il importe aussi des vins naturels italiens et espagnols.

Puzelat est donc un vigneron-artisan-commerçant polyvalent, au cœur des différents aspects culturels et économiques du vin naturel, que ce soit dans un geste d'artiste, de citoyen ou dans celui d'un *homo economicus.* Il exprime un certain cosmopolitisme, qui est non seulement la réponse libertaire à une mondialisation écrasante mais se trouve aussi dans l'idée utopique d'un circuit alternatif dans un système où dominent de grands intérêts. Une utopie qui consisterait en un réseau international de producteurs, d'importateurs, de distributeurs, réunis dans des lieux alternatifs d'échanges culturels et, pour assurer la survie de l'ensemble, d'échanges économiques dignes et limités.

Doug Wregg en Angleterre incarne parfaitement cet esprit. Né à New York de parents anglais et américain, il est retourné en Angleterre avec sa famille lorsqu'il avait sept ans. Plus tard, il a fréquenté l'université d'Oxford où il a étudié la littérature anglaise, sa grande passion. Il a écrit et enseigné durant quelques années mais ne se sentait pas complètement serein dans cette vie purement intellectuelle. Ses premiers contacts avec des restaurants lui avaient permis de comprendre qu'il aimait l'hospitalité, le *philoxenos* homérique. Et c'est en composant sa première carte des vins pour un restaurant qu'il a senti que ce travail avait une certaine affinité avec la littérature. « J'ai découvert mon vrai gène d'enseignant assez tard dans ma vie, dit Wregg. J'adore partager des idées et le vin est souvent le point de départ pour des conversations à propos de la politique, de l'art, de la musique, de la littérature et de l'éthique. Mais, plus que tout, j'adore raconter des histoires et le vin contient la somme de toutes les histoires pouvant être racontées. »

En 1996, Wregg rejoint Les Caves de Pyrène, une entreprise anglaise d'importation de vin fondée quelques années plus tôt par le français Éric Narioo qui avait commencé à vendre du vin à l'arrière d'un camion, avec deux amis – principalement du vin de Gascogne, sa région d'origine. En 2004, Wregg racontait : « Nous étions assis dans un bar à vin parisien. Nous nous sommes fait offrir deux verres de vin, dont un blanc d'Anjou d'Olivier Cousin. C'était une épiphanie. Comme dans un film hollywoodien. Nous nous sommes regardés et nous sommes écriés : "Envoyez la musique !" Commence dès lors une histoire d'amour explosive avec le vin naturel, avec le terroir, avec l'origine. Nous travaillons désormais avec environ deux cents vignerons naturels que nous importons au Royaume-Uni – certains sont complètement convertis au naturel, d'autres en transition. Il ne s'agit pas d'être sectaire ni idéologique. Il faut laisser la porte ouverte, afin que les paysans soient assez confiants pour s'engager sur de nouveaux chemins. »

Les Caves de Pyrène emploie trente personnes et ses ventes s'élèvent à plus de 25 millions d'euros par an au Royaume-Uni. Elle a des distributeurs locaux en Italie et en Espagne, et de nombreux bars à vin et restaurants à Londres. Désormais actionnaire et directeur du marketing, Wregg affirme : « Le vin naturel fait son marketing lui-même, si bien que je n'ai pas à faire le sale travail. Nous vendons au pub du coin comme aux restaurants trois étoiles du *Guide Michelin*, sachant que le vin peut changer les esprits et les cœurs par sa seule force de persuasion. »

Plus que tout, Wregg conçoit Les Caves de Pyrène comme une sorte de contre-ONU, un *hub* du Royaume-Uni favorisant un syncrétisme international autour d'idées et d'actions concrètes pour repenser ce que les citoyens du monde savent au sujet de l'agriculture, de la nourriture et de la culture.

Ils distribuent des vignerons de France et d'Italie, bien sûr, mais ils ont aussi des Allemands, des Autrichiens, des Espagnols, des Portugais, des Grecs, des Slovènes, des Croates, des Géorgiens, des Australiens, des Américains, des Chiliens, des Argentins et des Sud-Africains…

Wregg explique : « Le vin naturel, étant une idée tout comme une pratique et une façon de vivre, n'a pas de frontières. Bien qu'il y ait des régions phares (la Loire par exemple), vous trouvez des vignerons libres penseurs et curieux dans chaque partie du monde. Parfois, leur créativité est asphyxiée par leur désir de plaire au marché ou bien ils sont écrasés par la main funeste de la bureaucratie. Mais les gens voyagent davantage, communiquent régulièrement et dégustent avec une plus grande ouverture d'esprit, ce qui crée le ferment actif des idées qui transcendent les pays et les régions. Bien sûr, les foires au vin permettent aux vignerons de se retrouver, d'échanger des idées et de goûter le vin des autres. Elles constituent l'engrenage qui crée l'idée d'un mouvement. Mais je ne suis pas sûr qu'il y ait un mouvement du vin. Je vois le vin naturel comme une synthèse naturelle, une direction inévitable pour quiconque veut repenser le monde dans une direction éthique et pratique. »

Alors que la moitié des vignerons du catalogue de Narioo, Wregg et leurs petits groupes (croissants) d'associés-partenaires, sont français et italiens – avec principalement la Loire, le Rhône et le Languedoc pour les Français –, chaque région du monde est intéressante à leurs yeux.

En Amérique du Sud, la scène du vin naturel ne s'est pas encore vraiment développée mais Wregg est convaincu que les conditions de production de grands vins sont déjà réunies. Après des décennies d'abus de la part des multinationales françaises et américaines au Chili, ils redécouvrent leur propre culture. De nombreux petits vignerons retrouvent désormais leurs cépages francs de pied, non greffés après le phylloxéra, dans des vignobles indemnes de toute maladie, redécouvrant ainsi la région originelle où les vignes avaient été plantées par les missionnaires espagnols – la vallée de l'Itata, en l'occurrence – aussi bien que l'usage de *tinajas*, des jarres en terre cuite que tout paysan avait autrefois chez lui pour faire son vin.

Une des découvertes les plus précieuses de Wregg est Enrique Villalobos, un sculpteur chilien qui vit dans une région connue depuis des siècles – évidemment – comme « la vallée des artistes ». Villalobos possède des terrains dans la forêt de Colchagua près de sa maison. Un vignoble a été planté là, il y a quatre-vingts ans, qui est devenu sauvage en se transformant en *vitis sylvestris* et en s'enroulant autour des arbres.

« Il n'y a pas seulement des arbres mais aussi des buissons et des fourrés, explique Wregg. Vous trouverez des grappes de raisin au milieu des prunelles et des mûres entortillées ensemble dans leurs petits nids sur le sol de la forêt. La vigne est sauvage et éparpillée. Aucun contrôle n'est exercé, pas de chimie non plus, et le vignoble, si on peut l'appeler ainsi, existe pleinement dans son environnement sylvestre. Il y a même quelques chevaux sauvages qui trottent à travers les sous-bois et grignotent parfois quelques grains. Au moment des vendanges, des amis viennent, avec des gants et des échelles, et récoltent cette récompense de la nature libre. La maison, qui est un atelier d'artiste, sert aussi de cave de fortune pour la vinification. La fermentation se fait dans une vieille sculpture. Chaque chose est en fait une extension de ce que Villalobos fait de ses mains, avec ses yeux et avec ses amitiés. »

Pour Wregg, la scène géorgienne du vin est « la maison spirituelle du vin naturel car c'est le lieu d'origine probable de tous les vins ». C'est aussi un lieu étonnant, avec sa tradition du *qvevri*, une amphore plus grande et plus large que les autres mais qui s'utilise de la même manière, avec l'engouement de jeunes Géorgiens qui ont quitté Tbilissi pour réveiller la campagne afin d'alimenter un goût pour le passé et le présent, attesté par l'explosion des bars à vin dans la capitale.

L'Australie est aussi fascinante aux yeux de Wregg : « La scène du vin naturel australien est la plus dynamique, avec des vignerons qui vendent directement leurs vins aux bars à vin et restaurants. Cela fait partie du boom des artisans – la provenance est tout – alliée à la bohème cool. Mais c'est bon et durable. Et c'est fun. Le vin est un vecteur de plaisir et les vignerons naturels australiens utilisent l'expression "éclater une bouteille". »

Narioo et Wregg voyagent à travers le monde, visitent les vignerons et bien sûr les centres urbains où le vin est bu, exactement comme le font les paysans eux-mêmes.

« Ces vignerons sont incroyablement cultivés, intelligents et pleins de ressources, dit Wregg. Pour être un fermier et faire du vin, vous devez avoir une compréhension de l'histoire, de la géographie, de la géologie, de la botanique, de la microbiologie, aussi bien qu'être charpentier, plombier et balayeur ! Il faut être un honnête homme de la Renaissance ! Travail éreintant, dévotion à sa cause, concentration sur des détails – tel est le travail quotidien –, et ensuite vous devez affronter des formalités ennuyeuses et une bureaucratie délirante. Je suis toujours impressionné par les vignerons. La consolation pour eux est le travail dans les vignes ; être dans la nature et ne faire qu'un avec elle, très souvent. Puis, plus vous y passez de temps et plus vous comprenez que vous êtes de passage et que votre mission est de vous mettre au service de la vigne et de son environnement. Cette considération éthique et sociale constitue la force motrice des meilleurs vignerons naturels. Personne n'est là pour faire un coup rapide. Comme un vigneron me l'a dit un jour : "Je me moque de devenir plus important ou meilleur. J'ai une vie heureuse et un fils jeune. Cela me suffit." »

On trouve dans le blog de Wregg sur le site web des Caves de Pyrène ce qui s'écrit de plus intéressant, en anglais, sur le vin naturel. Il relève d'une grande ironie que ce qui devrait n'être qu'un acte de pur marketing et une source de déception soit retourné, dans – et par – le monde du vin naturel, en une incarnation de la liberté et de la poésie, tout ce qu'on pourrait souhaiter du plus indépendant des journalistes. C'est une subtile forme d'inversion radicale, voire d'insurrection.

Rock Man

Mais tout cela est aussi très délicat. Le monde du vin naturel est certes ouvert à tous, et essaie de rester égalitaire. Ni les vieux propriétaires terriens ni les fils de paysans n'ont le monopole de ce nouveau monde, de cet engagement.

De plus en plus de jeunes les adoptent comme une façon de donner un sens à une vie individuelle et un moyen de nourrir une petite communauté. Donner, en fait, un sens commun, partagé et communautaire à sa vie individuelle.

Mais si l'idée de ce qu'est un terroir est respectée, on ne peut arriver et imposer avec arrogance le « je » de la ville, le *moi* impérialiste. Et comme dans tout mouvement de libération insurrectionnelle, il y a des abus, des détournements de l'élan initial, des aménagements de l'éthique, jusqu'à la trahison ou l'escroquerie. Il me semble alors nécessaire de citer quelqu'un qui symbolise, pour moi, cette possible confusion.

Frank Cornelissen a fait carrière pendant longtemps dans sa Belgique natale sur le marché gris du commerce des vieux bordeaux rares et chers et autres produits de spéculation vino-financière. Les circonstances exactes de son départ de Belgique restent floues. Certains soutiennent qu'il a laissé une ardoise importante derrière lui en partant pour la Sicile. Selon lui, il a tout simplement vécu une conversion, tel un Nicolas Joly. Ce qui est sûr, en tout cas, c'est que Cornelissen a quitté son pays en 2000 et s'est s'installé sur les pentes de l'Etna, endroit à la mode pour de nombreux financiers, héritiers et spéculateurs étrangers.

Ce lieu, encensé depuis par la presse gastronomique – par ceux qui suivent la tendance naturelle aussi bien que par les marketeurs du chimico-spectaculaire –, suggère que le monde du vin naturel n'est pas imperméable à l'« ancien » rapport entre pouvoir financier et soumission des médias.

En tout cas, je trouve intéressant que l'Etna, longtemps oublié par tous, y compris par les Siciliens, vive une « renaissance » proclamée de par le monde après que s'y sont installés Cornelissen, Marco de Grazia, Andrea Franchetti et d'autres acteurs puissants et non siciliens (ce qui n'enlève rien à quelques modestes mais excellents producteurs du coin comme Alice Bonaccorsi de *Valcerasa*).

De Grazia, charmant exportateur américano-toscan, fils d'un spécialiste florentin de Machiavel et d'une mère américaine, mène une vie « complexe » depuis trente ans. Il est d'un côté le défenseur passionné et cultivé des vins de terroir italiens. De l'autre, c'est le responsable, depuis les années 1980, de la conversion de nombreux vignerons piémontais, toscans et d'ailleurs, au goût concentré, sucré, boisé de son ami Robert Parker. Depuis qu'il a créé son domaine *Tenuta delle Terre Nere* à Randazzo sur l'Etna, il est passé en bio, fait des vins de très bonne qualité mais fermement liés au marché, loin de la philosophie des naturalistes.

Ceci est également vrai pour le *Tenuta Passopisciaro* du richissime jet-setteur baron Andrea Franchetti, qui a créé un autre domaine *ex nihilo* en Toscane, où sa famille avait des terres ancestrales dans le val d'Orcia, mais où la vigne n'avait jamais été cultivée. Pour son domaine toscan, *Tenuta di Trinoro*, il a fait venir des camions avec des centaines de tonnes de terre d'une région vinicole traditionnelle pour créer un « *humus ex nihilo* » et ensuite fabriquer un vin (« *post-nihilo* » ?), le trinoro, d'après des cépages bordelais. Tout de suite, il l'a mis sur le marché à 200 euros la bouteille. Succès immédiat car encensé par Robert Parker et la Parker anglaise, Jancis Robinson qui l'a décrit sans gêne comme un « homme à l'allure de star de cinéma » !

Ensuite Franchetti a créé un domaine sur l'Etna, à huit kilomètres de celui de De Grazia pour faire son passopisciaro, un vin technique (et bio !)… et à quatre kilomètres de celui de Frank Cornelissen, l'avatar du vin naturel italien pour certains restaurateurs et cavistes branchés à Paris et à New York. Cornelissen, lui, se revendique « vigneron sicilien » (et il est reconnu comme tel) même s'il ne parle pas sicilien (une langue à part, essentielle pour la « sicilianité », différente dans chaque coin de l'île) et semble loin de maîtriser l'italien (la deuxième langue parlée sur l'Etna). Mais il est très habile en marketing, comme on aurait pu l'imaginer au vu de son passé de commerçant de produits de luxe. Avec la cohérence perverse du marché, il se présente ainsi sur son site : « Notre philosophie de culture se fonde sur le principe que l'homme est incapable de comprendre la Nature dans son intégralité, sa complexité et ses interactions. Nous avons choisi simplement de l'observer pour apprendre à travers les différents progrès et changements énergétiques et cosmiques de Mère Nature et nous préférons suivre ses indications plutôt que décider par nous-mêmes ce qu'il faut faire ou ne pas faire. Par conséquent, ce choix nous a portés à ne pas labourer nos terres et à éviter tout traitement chimique traditionnel, biologique ou biodynamique, du fait qu'un traitement reste fondamentalement une intervention de l'homme qui finalement n'aura comme résultat que de mettre en évidence l'incapacité humaine d'accepter et d'interpréter intégralement la nature telle qu'elle est et telle qu'elle sera. La capacité divine de comprendre la complexité de l'univers n'appartient pas à l'homme qui n'en est qu'un élément. Néanmoins l'homme, alimentant son égoïsme, prétend toujours plus être Dieu, modifiant l'équilibre fragile de la Terre mère pour des raisons de rendement et de productivité, avec des conséquences délétères pour toute l'humanité. Nos vins et huiles d'olive, expression maximale et profonde de notre terroir, portent le nom de Magma®. »

Je pense n'avoir jamais vu le ®, sigle de la marque déposée, sur le site d'un vigneron artisanal et certainement jamais dans le monde du vin naturel. Mais il persiste, se révèle dans une délicieuse ironie fort contemporaine (c'est-à-dire absolument inconsciente !) : « Une production authentique et de qualité, sans compromis, respectueuse de l'environnement, a, sans aucun doute, des coûts considérables qu'il faut être capable de soutenir pour continuer de produire et maintenir un niveau de qualité. En calculant les frais de production engendrés, pour fixer le prix de vente de Magma® et de MunJebel®, nous avons eu la sensation que les deux produits risquaient de sortir à des prix élevés. Nous avons donc pris la décision de proposer MunJebel® à un prix plus bas et en contrepartie d'augmenter le prix de Magma®. Dans Magma® nous pensons pouvoir vous offrir l'expression la plus haute du terroir et dans MunJebel® une liaison avec la tradition de cette région du mont Etna, accessible aux passionnés. Une politique sociale des prix. » Le MunJebel 9 « MC » (® !) se trouve dans une cave à Rome en 2015 à 35 euros (prix social !). Le Magma®, dans une autre qui annonce que le prix est une bonne affaire, est à 162 euros. Vive « la politique sociale » ! Il faut oser quand même… Ou mieux, il faut voir comment ce discours marche à Paris et à New York avec des privilégiés qui ne sont jamais allés en Sicile, parce qu'ils peuvent se permettre de l'acheter virtuellement.

Dire que je trouve que les vins de Cornelissen incarnent tous les défauts que les adversaires des vins naturels leur reprochent généralement n'est pas un avis esthétique très fiable. Sauf que j'en ai goûté certains avant de savoir qui était le fabricant et que je les ai trouvés d'emblée très difficiles à apprécier, malgré l'engouement de ses admirateurs parisiens qui m'avaient poussé vers ses bouteilles. J'ai senti une oxydation hors de contrôle (et j'aime pourtant les vins orange, oxydatifs), une acidité méchante (et je suis un bec acide !), une amertume lourde, encombrante (comme un *chiaroscuro* trop affiché même pour un amateur de Caravage) et des saveurs tellement agressives et incohérentes que j'avais l'impression d'avoir quitté le terroir de Cassavetes – habité par de nombreux vins naturels à mes yeux – pour retrouver les bluffs conscients, malins de certains films de Warhol, comme *Empire* : œuvre de huit heures et cinq minutes qui consiste en un plan fixe de l'Empire State Building.

J'ai vu Cornelissen une seule fois, en 2011. C'était à une conférence sur le vin naturel, organisée, bizarrement, dans une banlieue de Zurich cent pour cent bétonnée, par le chef d'un des trois groupes organisés (pour mieux se battre entre eux !) de vignerons naturels en Italie. Après une présentation brillantissime de Claude et Lydia Bourguignon sur la vie biologique des sols, Angiolino Maule, président et fondateur de VinNatur, a introduit Cornelissen devant les participants internationaux comme si c'était une rock star. Et le Belge néo-sicilien (faut-il un ® ?) n'a pas déçu. Petit, mince, beau gosse, la cinquantaine passée, vêtu d'un pantalon en cuir hypermoulant, il monte sur scène presque en courant, prend le micro d'un seul geste et nous raconte *sa* Sicile. Tout de suite, dans la salle, on s'agite pour lui poser des questions. Un jeune homme se lève. Il dit, en anglais, qu'il n'a pas de questions à poser, en fait, mais simplement qu'il ne peut pas s'empêcher de témoigner de son adulation pour Cornelissen. « Je suis importateur américain et j'importe des vins depuis… trois ans ! dit-il fièrement, avec une admiration non dissimulée pour l'importance de son propre parcours, et je voulais juste vous dire, Frank, que vous exprimez le mieux la Sicile profonde, l'Italie… *You rock, man !* »

Magma *indeed.*

14
Agri-culture

Ce qui est certain, c'est que cette nouvelle catégorie de paysans à laquelle appartiennent les vignerons naturels a souvent une connaissance aussi approfondie de la culture urbaine que de la culture paysanne, pour le meilleur et pour le pire. Cet équilibre, à part quelques malheureuses exceptions, va à l'encontre de l'industrie du vin, dans laquelle certains propriétaires de domaines prestigieux jouent à la Marie-Antoinette, les week-ends, à la campagne, mais l'asservissent complètement aux principes de leur culture urbaine. Pour les vignerons naturels, même ceux qui viennent d'un milieu urbain, le choix est très clair. C'est la connaissance de la culture paysanne qui prévaut. La culture urbaine est au service de l'acte paysan et c'est un des aspects les plus révolutionnaires du mouvement.

L'acte agri-culturel artisanal exige un savoir-faire concret et incarné. Or nous sommes dans un moment de virtualisation et de désincarnation de la culture, exacerbé par le monde numérique et Internet. Nous manquons de matière. Dans cette désincarnation de la société, le retour à un métier artisanal, manuel, dans le sens métaphorique aussi bien que littéral, sans doute, pose des questions pertinentes à toute la classe des artistes et particulièrement des artistes urbains.

Ceci n'est pas anodin. La grande question de notre époque est la question écologique. Mais la question écologique n'est pas : « Qu'est-ce qu'on peut faire pour que la planète soit plus belle ? » mais : « Qu'est-ce qu'on peut faire pour ne pas mettre fin à l'espèce humaine dans un proche avenir ? » Alors que peut-on faire pour éviter les catastrophes ? Pour qu'on n'efface pas pour toujours la civilisation qu'on a construite, pas à pas, pendant dix mille ans ?

Pablo Servigne, chercheur et agronome, auteur du livre au titre prometteur *Comment tout peut s'effondrer*, dans un entretien pour l'excellent site Internet indépendant *Reporterre*, explique : « Certaines civilisations anciennes se sont effondrées économiquement et politiquement. Quelques siècles après, ça renaît. Mais il y a des civilisations qui se sont effondrées pour des raisons écologiques. L'effondrement de l'environnement provoque l'effondrement de la civilisation. Et dans ce cas, en revanche, la civilisation ne repart pas parce que le milieu est épuisé, mort. »

Civilisation, environnement. Agriculture, culture. Pendant longtemps on a oublié les liens (et parfois on les a même séparés artificiellement) entre ces notions imbriquées, voire jumelles.

Comment le monde de la culture s'est-il déraciné, dématérialisé, désincarné pour devenir le seul terrain des formes de spéculation, intellectuelle ou financière, sans lien avec le sol qui a fait naître le geste de culture lui-même ?

Le cliché veut que, si on pose la question : « Qu'est-ce que la culture ? » à un cinéaste, on n'ait pas la même réponse que si on la pose à un agriculteur. Selon ce cliché trompeur, pour l'un ce serait l'ensemble des choses à lire, à écouter et à voir pour enrichir son esprit, pour l'autre ce serait le fruit du travail qu'il exerce sur sa terre. Chacun son champ, imaginaire ou concret.

Certes, en France, il y a bien deux ministères distincts pour identifier chacun des deux types de culture. Personne ne penserait à réunir le ministère de l'Agriculture et celui de la Culture (même si, aujourd'hui, les deux partagent souvent le même mépris pour le paysan et l'artisan). L'un a une vocation économique – l'agriculture, c'est surtout des chiffres et des statistiques –, alors que l'autre a un rôle symbolique et social même si, en pratique, il est aussi devenu une affaire économique. Le premier est censé défendre les intérêts des paysans au sein de l'Union européenne mais accompagne surtout le dépeuplement des campagnes et l'industrialisation du traitement de la terre. Le second, avec Malraux, avait pour mission de favoriser la rencontre directe du public au sens très large avec le patrimoine culturel et l'émotion artistique. Depuis Jack Lang, il s'occupe également de l'économie de la culture, à travers des soutiens aux industries culturelles. Il a aussi la mission de protéger les artistes, mais il se contente, la plupart du temps, d'encourager le processus de marchandisation des biens (et des acteurs) culturels.

Malgré ces ressemblances structurelles, les deux vocations sont bien différentes. Aujourd'hui avec l'arrivée au ministère de technocrates économico-pathologiques, tels que Fleur Pellerin, nous sommes passés à une troisième étape qu'on pourrait appeler le ministère de l'acculturation par le marketing. Ou, mieux encore, le sous-ministère du marketing par l'acculturation.

Dans les esprits contemporains, les domaines agricole et culturel sont bien distincts. D'un côté, on efface la dimension intellectuelle et culturelle de l'agriculture pour en faire une donnée purement économique. De l'autre, on masque les données économiques de la culture pour construire un mythe purement intellectuel. L'agriculture est réduite à des faits commerciaux, à des statistiques, à des questions pseudo-scientifiques où l'aspect humain et la question de la relation entre l'homme et la nature, mais aussi entre l'esprit et le corps, est rompu.

Dans le monde moderne on tient encore à cette scission entre les deux « cultures ». L'une nourrit le corps, l'autre l'esprit. Il n'y a plus de lien mais une hiérarchie entre ces deux fonctions. On a oublié que les premières peintures rupestres, il y a trente mille ans, évoquaient la chasse et la cueillette pour commémorer le passé mais aussi pour inventer le futur : l'art était une invocation magique. On a oublié que c'est l'agriculture, c'est-à-dire la sédentarité et la confiance dans l'avenir, qui a fait naître la civilisation humaine. Là où on cultive la terre on enterre ses morts, on se marie, on s'installe, on prospère, on apprend à gouverner pour répartir justement la récolte. Grand géographe et anarchiste, Élisée Reclus a dit, en 1905, que « l'homme, c'est la nature prenant conscience d'elle-même ».

Mais le XXe siècle est surtout marqué par la conviction, présente dans les démocraties comme dans les dictatures, que l'homme a entièrement soumis la nature, compris comment la subjuguer, la plier à tous ses désirs, la dominer. La reprise dite « miraculeuse » du Japon et de l'Allemagne, après la Seconde Guerre mondiale, leur passage hyperrapide du stade de dictature à celui de grande démocratie, leur métamorphose économique de pays dévastés en pays hégémoniques, sont, entre autres, dus à l'entente intime qui préexistait entre eux et leurs ex-adversaires démocratiques : la nature également conçue comme un terrain de jeu pour l'esprit humain, où l'homme se livre à une emprise totalitaire (la démocratie l'autorise vis-à-vis de la nature) au service de la volonté industrielle, valeur universelle du XXe siècle.

Plus les artistes et les acteurs culturels s'approchaient du pouvoir économique ou politique, plus le regard qu'ils portaient sur la nature était contaminé par l'œil du pouvoir. Et cela comprend bien sûr les discours écologistes qui n'ont pas manqué de se faire entendre en haut lieu dans le dernier quart du XXe siècle, quand la catastrophe environnementale pressentie a obligé les hommes politiques à… en parler. Mais la nature n'écoute pas les beaux discours, elle réagit physiquement aux traitements qu'elle subit. Et, dans ce domaine, seuls les actes comptent.

Les mots ont aussi un corps et des racines, ils gardent en eux les traces des blessures qu'on leur a infligées. Il existe ainsi une racine lexicologique qui raconte cette coupure tragique entre la culture du sol et celle de l'esprit. On peut trouver des traces de cette rupture à partir de la fin du XVIIe et du début du XVIIIe siècle, moment où la ville devient le centre de la vie politique, économique et culturelle. C'est l'émergence de la vie urbaine comme centre social, culturel et politique dans les pays occidentaux qui amorce le processus de déracinement. Même si les citadins sont encore peu nombreux dans l'ensemble de la population, l'essentiel se joue entre 1650 et 1700, alors qu'il y a 3,5 millions d'urbains sur environ 20 millions d'habitants en France.

Le royaume est encore massivement rural, mais c'est à la ville que se joue la montée en puissance de la culture au sens « nouveau » du terme, avec les librairies, les salons et les cafés. Parallèlement, la ville est le lieu où se développe l'économie, avec les marchés, les échoppes des artisans, la finance, et c'est aussi en ville que s'affirment les institutions politiques, avec les parlements et les tribunaux. C'est en ville qu'on fixe le prix des denrées agricoles. Elles sont des lieux d'échanges en tout genre où vit cette classe sociale en pleine ascension qu'est la bourgeoisie, et qui s'appuiera sur la culture et les villes comme l'aristocratie s'était appuyée sur la terre et l'agriculture.

Cependant, tout comme l'artiste et l'artisan étaient plus proches l'un de l'autre qu'on peut le penser aujourd'hui dans le monde désincarné, les mots « culture » et « agriculture » le sont aussi.

15

La culture par sa racine…

On applique le mot « culture » à tellement de choses qu'il est devenu gazeux : avoir de la culture, dialogue entre les cultures, culture africaine, culture underground, se convertir à la culture bio. Il existe beaucoup d'expressions où le mot est utilisé dans des sens différents. C'est devenu un mot magique qui ouvre des portes aux uns et intimide les autres. On le respecte comme un titre de noblesse ou on le galvaude comme un objet courant. Les adolescents en font le terrain de la lutte avec le monde adulte : « Chacun sa culture, papa ! »

On dit ainsi que le Coca-Cola comme Hemingway sont des produits de la culture américaine, que le romanée-conti comme Flaubert sont des fleurons de la culture française… comme le champ de maïs autour d'un village au Mexique, ou l'ensemble des habitudes des Dogons. Sans doute dirait-on que tout est culture, comme on a dit (souvent sans savoir pourquoi) que tout est langage.

Il faut donc aller voir la racine et l'histoire du mot. Au début, la culture avait un double lien avec la terre : lieu de repos pour les morts et source vitale pour les vivants. Pour les archéologues et les historiens, la culture commence avec les deux traces de la civilisation qu'on trouve sous la terre : objets funéraires et objets agrestes.

À l'origine, *cultura*, en latin, c'est « le soin qu'on donne à la terre ». Jusqu'au XVIIe siècle, le mot « culture » renvoyait exclusivement au travail de la terre. Sa racine, le verbe *colere*, signifie « prendre soin de ». C'est ce qu'a bien compris le lobby des industries phytosanitaires qui se sont cyniquement nommées Union des industries de la protection des plantes. Mais de qui et de quoi faudrait-il protéger les plantes sinon des industriels de la chimie eux-mêmes ?

Ce soin de la terre, la culture au sens de *colere*, a toujours amené certains hommes à son sens poétique : le soin de l'esprit. Cicéron est le plus ancien, apparemment, à avoir utilisé le mot latin *cultura* pour l'appliquer au soin de l'esprit de l'homme. Dans les *Tusculanes*, en 45 av. J.-C., on peut lire ce célèbre passage : « Je dis qu'il en est d'une âme heureusement née, comme d'une bonne terre ; qu'avec leur bonté naturelle, l'une et l'autre ont encore besoin de culture, si l'on veut qu'elles rapportent. Or la culture de l'âme, c'est la philosophie. Elle déracine les vices, elle prépare l'âme à recevoir de nouvelles semences, elle les y jette, les y fait germer ; et, avec le temps, il s'y trouve abondance de fruits[1]. »

Mais, à cette époque, l'emploi le plus courant du mot *cultura* en latin est dans son sens strictement agricole.

Au Moyen Âge, le mot *colture* remplace le mot latin et sert à Charlemagne pour désigner les terres cultivées. Durant la Renaissance, sous l'influence de l'humanisme,

1. Cicéron, *Tusculanes*, livre II, V, traduit par l'abbé d'Olivet, sous la direction de M. Nisard, Paris, Dubochet, Le Chevalier et comp., 1848. (Accessible en ligne : http://remacle.org/bloodwolf/philosophes/Ciceron/tusc2.htm).

quand les livres et l'éducation deviennent beaucoup plus importants dans les milieux cultivés, le mot « culture » commence à être utilisé par métaphore pour désigner directement le développement des facultés de l'esprit. Mais c'est surtout au cours du XVIIe siècle que ce sens figuré prend place dans les usages courants.

Dans le Richelet, un des plus anciens dictionnaires de la langue française, publié à Genève en 1680, le mot « culture » a deux sens : « art de cultiver la terre » en premier lieu et « exercice qu'on prend pour perfectionner et polir les arts, les sciences et l'esprit »[1], en second.

La mutation de la « culture » au sens paysan en « culture » au sens urbain s'effectue à cette époque où la langue française et le royaume de France s'unifient sous l'autorité de Louis XIV. Époque, on l'a vu, où l'artisan peintre devient officiellement un artiste en intellectualisant son travail et en fondant des académies. La culture de l'esprit, les arts, la littérature, les sciences constituent un territoire imaginaire à connaître, à labourer, à sonder, et le dictionnaire est un très bon outil pour en tracer les contours. Déjà, depuis 1635, l'Académie française a reçu pour mission de définir le bon usage de la langue et établir officiellement son vocabulaire. Mais, la prenant de vitesse, Furetière, académicien très habile, publie insolemment son dictionnaire à Amsterdam en 1690, quatre ans avant le dictionnaire officiel de l'Académie. Sa définition du mot « culture » est brève : « Soin qu'on prend de rendre une terre fertile par le labour[2]. » Il

1. « Culture » in César-Pierre Richelet, *Dictionnaire françois contenant les mots et les choses…*, Genève, Jean Herman Widerhold, 1680. (Accessible en ligne : http://gallica.bnf.fr/ark:/12148/bpt6k509323).

2. « Culture » in Antoine Furetière, *Dictionnaire universel contenant généralement tous les mots françois*, La Haye, Leers, 1690. (Accessible en ligne : http://gallica.bnf.fr/ark:/12148/bpt6k50614b/f2.image.r=.langFR).

n'a pas mentionné son sens figuré, mais celui-ci se rencontre au mot « cultiver », juste au-dessus : « Se dit figurément en choses morales, il faut cultiver l'esprit des jeunes gens. » C'est encore l'origine agricole qui prime dans le sens du mot « culture », même si, progressivement, le travail de la terre se déplace vers celui de l'esprit.

Dans la seconde édition du dictionnaire de l'Académie, en 1718, le premier à classer les mots en ordre strictement alphabétique et non plus par familles, le mot « culture » garde toujours son sens agricole qui vient en premier, mais le lien avec le mot « agriculture » disparaît de la page. Il est renvoyé au début du dictionnaire avec les A. Le mot culture est maintenant seul, avec ses deux définitions, l'une concrète et ancrée dans le sol, l'autre abstraite et plantée dans l'esprit. Dans la langue officielle du pouvoir central et technique qui s'affirme, les deux dimensions du mot « culture » s'éloignent inexorablement l'une de l'autre[1].

L'agriculture commence à être remplacée par la culture de l'esprit. En fait, cette évolution est sûrement due au fait que le classement des mots dans le dictionnaire devient alphabétique et plus thématique, mais en ne classant plus les mots par leurs racines communes, en donnant au dictionnaire un ordre arbitraire et non plus « racinaire », c'est comme si le dictionnaire lui-même se déracinait et reconnaissait une migration culturelle de la terre vers un monde abstrait, voulu rationnel, immatériel. Paysan de la terre, l'homme au début du XVIIIe siècle s'en va vers la ville, vers l'abstraction, troquant son champ pour son esprit.

Cependant, avant la Révolution, le mot « culture » se fige (comme le pouvoir lui-même) ; dans les deux versions

1. « Culture » in *Dictionnaire de l'Académie françoise dédié au Roi*, deuxième édition, Paris, Coignard, 1718. Non disponible sur Gallica.

successives du dictionnaire de l'Académie française, en 1740 et 1762[1], la définition est exactement la même. Les mouvements profonds des Lumières n'affectent pas la définition officielle de l'institution royale qui reste un roc dans la tempête encyclopédique. La culture officielle ne bouge pas.

L'*Encyclopédie* elle-même a une manière bien particulière de définir la « culture » dont elle est pourtant le plus beau fleuron. Le seul article qui corresponde au mot dans l'illustre publication des Lumières concerne la culture de la terre. C'est d'ailleurs le titre de l'entrée : « Culture des terres ». L'article est publié dans le quatrième volume de l'*Encyclopédie* en 1751 et fait quatorze pages. Ce qui est frappant, c'est qu'il ne fait que développer l'idée moderne de l'agriculture en démontrant son inévitable dimension commerciale et les bienfaits de l'exportation. La culture de l'esprit est bien sûr l'enjeu global et essentiel de l'*Encyclopédie*, mais il est étonnant que Diderot, qui ne laissait passer aucune occasion de développer ses facultés critiques et émancipatrices, ait choisi d'associer le mot « culture » au commerce international. Peut-être est-ce le signe de l'ambiguïté même de l'*Encyclopédie*[2] qui est à la fois une œuvre de civilisation majeure, au service de l'humanité, et une entreprise commerciale initiée par des libraires pour des clients bourgeois. L'article, et ce n'est pas rien, est écrit

1. « Culture » in *Dictionnaire de l'Académie françoise*, troisième édition, Paris, Coignard, 1740. (Accessible en ligne : http://gallica.bnf.fr/ark:/12148/bpt6k50401f/f1.image) et in *Dictionnaire de l'Académie françoise*, quatrième édition, Paris, Veuve de Bernard Brunet, 1762. (Accessible en ligne : http://gallica.bnf.fr/ark:/12148/bpt6k504034/f1.image).

2. François Véron Duverger de Forbonnais, « Culture des terres », in *Encyclopédie ou dictionnaire raisonné des arts, des sciences et des métiers*, Première édition, tome 4, Paris, Le Breton, David, Briasson et Durand, 1751, p. 552-566. (Accessible en ligne : https://fr.wikisource.org/wiki/L'Encyclopédie/1re_édition/CULTURE_DES_TERRES).

par un certain François Véron Duverger de Forbonnais, connu comme économiste et financier français, spécialiste du commerce international des denrées.

Un signe du destin, autant pour la culture que pour l'agriculture.

Dans la version de 1798, après la Révolution, « façons de rendre la terre plus fertile » est remplacé par « travaux de la terre ». Et il est accompagné de « pour améliorer ses productions », expressions qui intègrent un vocabulaire technique et économique plus moderne. On peut aussi noter l'expression « pays de grande culture : ceux où elle se fait avec des chevaux »[1].

Or, dans la version suivante de 1835, le clou est enfoncé dans la « modernisation » et reflète la mutation économique du monde agricole. Ce qui était au présent devient au passé : « Grande culture : se disait *autrefois* de la culture qui se fait avec des chevaux et se dit *aujourd'hui* de l'exploitation d'un vaste terrain à laquelle on emploie de grands capitaux, ordinairement en suivant les procédés jugés les meilleurs par les agronomes[2]. » Un « autrefois » traditionnel s'oppose à un « aujourd'hui » qui redéfinit les vieilles expressions.

Le monde agricole se transforme sous la monarchie de Juillet qui veut augmenter les productions pour faire face aux disettes et entame une politique favorable aux grandes exploitations aristocratiques. Apparaissent les « capitaux »

1. « Culture » in *Dictionnaire de l'Académie françoise, revu, augmenté et corrigé par l'Académie elle-même*, cinquième édition, Paris, J.-J. Smits, 1798. (Accessible en ligne : http://gallica.bnf.fr/ark:/12148/bpt6k50405t/f1.image).

2. « Culture » in *Dictionnaire de l'Académie française*, sixième édition, Paris, Firmin-Didot, 1835. (Accessible en ligne : http://gallica.bnf.fr/ark:/12148/bpt6k50407h/f2.image). Ce sont les auteurs qui soulignent.

et surtout la foi dans le savoir scientifique des « agronomes » qui deviennent les maîtres de la terre avant les paysans qui doivent « suivre » leurs conseils. La définition dessine les contours du monde agricole moderne en faisant de la culture l'acte par lequel l'homme exerce son emprise sur la terre et en y pointant la prééminence de la science sur l'expérience paysanne.

À cette époque, la dialectique de la Nature et de la Culture s'impose en philosophie comme le moteur de l'Histoire, à travers des textes de Hegel notamment qui voit le sens de l'Histoire comme une sortie progressive de l'Homme de la Nature pour constituer l'État – forme politique où domine la culture. Il dit en effet dans sa *Propédeutique philosophique*, vers 1810 : « L'état de nature est l'état de rudesse, de violence et d'injustice. Il faut que les hommes sortent de cet état pour constituer une société qui soit État, car c'est là seulement que la relation de droit possède une effective réalité[1]. »

À cette époque, ce qui appartient à la nature est ce qui demande le moins de travail, ce qui renvoie à la vie organique simple, à la pauvreté de l'âme, à la sauvagerie première. Cette conception trahit un certain rapport à la nature. Elle est à améliorer. La cultiver n'est pas un acte d'harmonie mais de contrainte, d'emprise. Le monde moderne commence à se couper de la nature et de la connaissance intuitive, empirique et historiquement enracinée du paysan, pour en faire un ennemi intérieur. Dans la vision progressiste et capitaliste du XIXe siècle, la culture intellectuelle est une arme centrale, permettant de dominer

1. Georg Wilhelm Friedrich Hegel, *Propédeutique philosophique*, traduit par Maurice de Gandillac, Paris, Éditions de Minuit, 1963, p. 55.

la nature, c'est-à-dire le corps, la chair, la vie sans ordre, et même dompter le désir. La nature prend la place imaginaire du diable et l'animalité celle du mal.

On a beaucoup glosé sur la répression de la sexualité au cours du XIXe siècle, au fur et à mesure de l'instauration d'une société capitaliste et bourgeoise. Les traités sur les méfaits physiologiques de l'onanisme ou les appareils improbables pour empêcher les jeunes pensionnaires de se masturber pendant la nuit sont légion à cette époque où la dépense doit être jugulée.

Au XIXe siècle, il s'agit surtout de gérer la nature, elle devient un capital au moment où les ressources naturelles commencent à être exploitées et à devenir le carburant premier de l'industrialisation capitaliste.

C'est à cette époque que la culture intellectuelle devient la nouvelle religion de la démocratie, le bien absolu, l'habit neuf de ce nouvel homme scientifique, rationnel et au-delà de la nature. Dans le système scolaire qui se met en place, c'est elle, *la culture générale*, qui devra distinguer les meilleurs. C'est durant ce siècle que se développe aussi une industrie du livre, de la presse et que l'artiste s'émancipe des mécènes de l'Ancien Régime grâce au développement du marché de l'art et de la vie de bohème qui glorifie sa pauvreté.

Un effet pervers se profile à l'horizon : la culture devient aussi le moyen pour la bourgeoisie de se distinguer d'un peuple que l'école rend de plus en plus cultivé. Elle joue le rôle que jouait le sang chez les aristocrates, elle sert de fondement à une sorte de noblesse reposant sur les titres scolaires et universitaires, et qui semble se transmettre de nouveau par le sang. Quand on naît bourgeois, on naît cultivé *a priori*.

Le sentiment de légitimité, de supériorité, d'élection, passe désormais par le degré et le type de culture. Une distinction se fait entre les arts et genres nobles, hérités de la période classique, comme la tragédie, l'opéra, la musique classique, la peinture patrimoniale, les édifices religieux, attributs de l'aristocratie captés par la bourgeoisie, et la culture populaire soutenue par les industries culturelles naissantes, comme le roman, la comédie, l'opérette, la chanson populaire, la presse illustrée et, plus tard, la photographie et le cinéma.

Et la nature, exaltée par les artistes au moment de son déclassement, par nostalgie anticipée, disparaîtra peu à peu au tournant du XXe siècle des préoccupations des peintres, écrivains et autres gardiens des nouveaux temples. Ceci va de pair, comme on l'a vu, avec la conception de l'artiste comme « fécondeur » principal du monde.

Dans le dictionnaire de 1878, l'élan progressiste continue avec le développement de la définition de la culture comme acte de cultiver son esprit. Mais les académiciens reprennent aussi, de façon anachronique, l'expression de « terres cultivées[1] » pour désigner la culture dans son sens originel, qui était dominant au Moyen Âge. Il s'agit là d'un héritage du romantisme qui a remis cette période au goût du jour, mais cette fois-ci de manière artificielle, en muséifiant les cultures du Moyen Âge.

C'est au XXe siècle que se produit une ultime transformation dans la définition officielle du mot « culture ». D'abord, dans la définition de 1935, on constate que le

1. « Culture » in *Dictionnaire de l'Académie française*, septième édition, Paris, Firmin-Didot, 1878. (Accessible en ligne : http://gallica.bnf.fr/ark:/12148/bpt6k504096/f1.image.r=dictionnaire%20de%20l%27académie%20française%201877.langFR).

pouvoir technique des agronomes s'est renforcé au début du XXe siècle, puisqu'on y précise : « En employant les procédés ou les instruments aratoires jugés les meilleurs par les agronomes[1]. » La motorisation et les machines remplacent progressivement les chevaux et les hommes. Le premier tracteur d'Henry Bauchet date de 1909. Mais on peut voir aussi que le mot sert à exprimer les manipulations scientifiques de l'homme sur le vivant : « En termes de Bactériologie, *Culture microbienne*, Développement d'une espèce microbienne placée dans des conditions de nutrition, de température et d'aération qui lui sont favorables. » La culture a définitivement triomphé de la nature, tout au moins dans sa définition. Elle nomme la façon dont l'homme maîtrise la vie infiniment petite et la maladie elle-même.

Un troisième sens émerge, celui de civilisation, déjà introduit au XIXe siècle par Mme de Staël qui avait mal traduit le mot allemand « *Kultur* », il revient en 1930 avec l'essai de Freud, *Le Malaise dans la culture*, traduction française du mot « *Kultur* ».

Mais, sur la page du dictionnaire, le mot conserve encore une unité. Il n'y a qu'un mot avec plusieurs définitions, plusieurs sens. Le dictionnaire dit « figurément » pour passer au sens second de culture de l'esprit, ainsi qu'au troisième sens, celui de la civilisation. On a d'ailleurs l'impression que ce troisième sens représente la muséification de la culture elle-même. On identifie les cultures lointaines pour en garder la mémoire à l'heure où elles disparaissent en masse.

Dans la version actuellement en cours de rédaction depuis 1994, l'Académie française distingue trois mots

1. « Culture » in *Dictionnaire de l'Académie française*, huitième édition. (Version informatisée sur le site Internet de l'Académie : http://atilf.atilf.fr/academie.htm).

« culture » et trois sens bien (mal) séparés[1]. Les trois sens sont positionnés de manière équivalente et distincte. Il y a la « culture » au sens agricole et par extension bactériologique (ex : culture vivrière, bouillon de culture), la culture au sens urbain et intellectuel (ex : culture générale) et la culture au sens anthropologique (ex : culture berbère). Ce sont là les trois sens actuels du seul mot « culture », ou plutôt les trois mots culture.

Pas vraiment une trinité.

1. « Culture », « Culture » et « Culture » *in Dictionnaire de l'Académie française*, neuvième édition, en cours. (Version informatisée sur le site Internet de l'Académie : http://atilf.atilf.fr/academie9.htm).

16

Cultura

En clivant le mot et ses sens, on a réussi à faire deux, voire trois choses de ce qui est, pour un agriculteur, une seule et même activité humaine. Parfois cela s'exprime à l'intérieur d'un seul geste ou d'un seul mot, de manière inconsciente, dans la mesure où ce n'est pas clairement formulé. Quand Emidio Pepe, paysan des Abruzzes, à peine scolarisé, a embouteillé sa première vendange de montepulciano rouge et de trebbiano blanc en 1964, tous ses voisins se sont moqués de lui. Et ça a continué jusqu'à la fin des années 1980. Comment Pepe pouvait-il refuser tous ces produits miraculeux qui arrivaient l'un après l'autre pour garantir un rendement constant pour chaque vendange jusqu'à la fin des temps ? Comment pouvait-il se passer des objets qui mécaniseraient toutes les étapes du travail de la terre jusqu'à la fin de la vinification ? Comment pouvait-il ne pas profiter du temps de loisir qui en découlait ? Un temps de loisir qui lui permettrait de regarder la télévision pendant des heures, de passer son temps dans les centres commerciaux, d'acheter les bibelots de la modernité, de s'approvisionner en aliments surgelés pour que sa femme puisse jouir également d'un nouveau temps de loisir en allant faire des courses, elle aussi ?

Mais ce paysan, fils et petit-fils de petits paysans illettrés, qui a aujourd'hui quatre-vingts ans et ressemble étonnamment au Burt Lancaster du *Guépard* (avec qui il s'entendrait certainement très bien) était têtu. Il savait que les terres de Torano Nuovo, dans le nord des Abruzzes, près de la frontière des Marches, portaient un message ancestral de vitalité et de complexité. Mais il savait aussi que, pour maintenir le dynamisme de ses vignes, il ne pouvait pas bousiller l'équilibre du sol, construit depuis des millénaires par les peuples qui ont traversé, saccagé et ensuite cultivé cette région. Il était hors de question aussi, pour le jeune homme orgueilleux qu'il avait été, de « faire comme son père », dont les vins ne méritaient pas d'être embouteillés.

Il voulait progresser et s'affirmer à tout prix.

Pepe a senti une relation tellement intime avec l'histoire de ses terres que son instinct l'a porté à refuser tous les produits de synthèse et à renoncer à toute intervention en cave qui remplacerait son regard et sa main lors de l'accouchement du millésime (pour employer la formule du vigneron bourguignon Aubert de Villaine). En somme, sans culture comme on la définit aujourd'hui, il préférait passer son temps dans la vie foisonnante des vignes et dans la cave, observant la nature et sa transformation par le savoir de l'homme, plutôt que jouir du loisir télévisé, immobile dans un fauteuil ou dans une voiture.

Les mots qui vont suivre, tirés du livre d'Henri de Pazzis, *La Part de la terre*, ne franchiraient jamais le seuil des lèvres d'Emidio Pepe. En fait, peu de mots s'échappent des lèvres de cet homme taciturne. Et ceux qui sont prononcés le sont toujours dans le dialecte local. Mais le sentiment de l'écrivain-agriculteur Pazzis, descendant de la famille rivale des Médicis, serait peut-être partagé par le paysan illettré.

Reconnaissant que l'acte de l'agriculture est intrinsèquement une rupture dans l'ordre naturel, Pazzis trace néanmoins les affinités possibles entre l'homme et la terre : « L'agriculture participe du devenir homme – il y engage ses forces et révèle les lois, dévoile le cosmos. Technique, travail, traversée de l'épaisseur du réel, l'agriculture contemple le flux qui anime l'intimité des matières, gonfle le bourgeon, érode la pierre, guide l'hirondelle. L'agriculteur décèle des réalités : rotation des astres, cycles du climat, fécondité du sol, floraison de la branche. Les mythologies antiques attribuent aux divinités l'enseignement de la culture, situent sa naissance dans un au-delà de l'homme. Dans une aventure théophanique, il lui est permis de creuser la terre, d'élever, d'imprimer une forme nouvelle au monde. Déméter porte cet art en Grèce et Cérès l'enseigne en Italie. L'agriculture s'enracine dans cette étude du monde[1]. »

Pepe n'a jamais bougé de sa profonde conviction que la terre et les vignes ont des histoires sublimes à partager et que, pour les exprimer dans leur complexité et leur imprévisibilité vitale, il faudrait la main le plus légère possible (Arthur Penn me disait une chose similaire sur la mise en scène). Ayant eu la chance de goûter des millésimes de Pepe qui remontent aux années 1960 – ses premiers millésimes – aussi bien que des centaines de bouteilles des années récentes, je ressens toujours une excitation particulière, renouvelée chaque fois, quand ma main tire ses bouchons de leurs domiciles. Car

1. Henri de Pazzis, *La Part de la terre. L'agriculture comme art*, Paris, Delachaux et Niestlé, 2014, p. 13.

ce qui a provoqué et augmenté le ridicule du personnage aux yeux de ses voisins, autrefois, c'est justement ce qui a fait qu'Emidio Pepe est reconnu de par le monde, après tant d'années d'obscurité et de refus, comme un des pères spirituels du mouvement du vin naturel italien. Il n'y a pas une seule bouteille qui ressemble à une autre. Entre millésimes bien sûr… mais du même millésime aussi. Du même lot. De la même caisse. De la première à la dernière gorgée d'une même bouteille. Son vin nous envoie à l'école de l'objet non prévisible, non industriel, non pareil !

Il contient souvent tous les défauts techniques dénoncés par les plus grands œnologues (ainsi que par les fonctionnaires de Bruxelles) : acidité volatile (ça pique !), des tannins tactiles (ça grince !), des bactéries dignes d'un vrai camembert (ça pue !). Mais l'expérience de ses vins serait reconnaissable pour tous ceux qui ont un souvenir du plaisir palpitant d'un film d'auteur, de son auteur préféré, projeté en 35 mm dans une salle de cinéma, avec le grain de la pellicule qui semble lécher l'écran, avec cette luminosité qui joue à cache-cache avec vos yeux jusque, au bon moment, l'écran explose dans une orgie de lumière. Ou vous plonge dans une obscurité riche de nuances de noir. Et, naturellement, le tout au service d'une histoire joyeusement imprévisible avec des personnages qui surprennent, touchent, excitent de manière inattendue. Et surtout si le film demande un deuxième, un troisième, voire un quatrième visionnage, qui vous régale d'un nouveau film chaque fois. Inattendu, imprévisible : cohérence naturelle.

Et pour ceux qui pensent que la dimension « culturelle » dans l'agriculture est limitée à la culture de la vigne, ouverte comme les arts aux critiques et jugements esthétiques, il suffit d'aller voir Francesco Valentini, *Abbruzzese* comme Pepe. Également producteur renommé de vin, Valentini se bat avec autant de passion pour les typicités des anciens blés italiens et leur transformation artisanale en pâtes d'une grande complexité nutritionnelle et gustative. Comme avec les vins de Pepe, il suffit de manger – même crue – une pâte « Verrigni » de Valentini pour sentir une texture et des goûts vivants.

Avec les nouvelles générations de vignerons (et de plus en plus de vigneronnes) naturels – y compris la fille de Pepe, Sofia, qui pratique la viticulture biodynamique chez lui –, on voit que les multiples sens du mot « culture » se densifient.

Giovanna Tiezzi appartient à la cinquième génération de Tiezzi qui vit sur ses terres près de Sienne dans les limites du Chianti. En dehors des vignes, elle et son mari, Stefano Borsa, cultivent l'épeautre, les pois chiches, des oliviers et entretiennent un potager qui nourrit les nombreuses familles qui habitent au domaine de Pacina, la plupart des amis de ses parents venus s'y installer dans les années 1960 et 1970.

Le père de Giovanna, Enzo Tiezzi, était agriculteur, certes, mais il était aussi professeur mondialement reconnu de physique et de chimie à l'université de Sienne, et auteur du livre *Temps historiques, temps biologiques*, une méditation profonde et presciente (sortie en 1992) sur le déséquilibre périlleux entre la progression de la nature et celle de la civilisation. Mais, en Italie, Enzo Tiezzi est surtout un héros pour les écologistes car c'est lui l'initiateur du référendum qui a détourné l'Italie du nucléaire.

Que sa fille Giovanna ait abandonné la danse en 1987 pour devenir la première femme à embouteiller le vin du domaine et que ce vin soit devenu le chianti phare du mouvement du vin naturel en Toscane (avec celui de sa voisine férocement naturaliste, Giovanna Morgante) est tout à fait cohérent. Et il est également cohérent que Pacina, la plus authentique expression de la tradition – avec le Boncie de Morgante – des chiantis Colli Senesi que je connaisse, ait été refusé systématiquement pour la DOC (AOC italienne), jusqu'à ce que Giovanna et son mari Stefano (un agronome repenti !) décident de ne plus le présenter à la commission d'agrément.

Preuve encore de leur étendue culturelle, ses chiantis qui n'ont pas le droit de porter leur nom sont exportés au Japon, en Angleterre, en Scandinavie, en Amérique latine, en Amérique du Nord. Les vins de Pacina sont recherchés par les amateurs de la vraie Toscane, pas celle, désormais dominante, des films hollywoodiens (racontée par Hollywood et vécue pendant les vacances par ses plus riches *œuvriers*, ainsi que par de vieilles familles aristocratiques parfaitement adaptées aux nouveaux pouvoirs du marketing), mais la Toscane qui a des racines étrusques tangibles, comme Giovanna. Son engagement « culturel » se définit aussi dans les prix, maintenus entre 5 et 12 euros.

Quand Giovanna accueille des visiteurs ou des amis sur ses terres, avant de leur faire visiter ses vignes et sa cave pour leur parler non pas de ses vins, mais de la terre et du rôle de l'homme, elle commence souvent par parler de la ville située à quinze kilomètres. Elle demande à ses hôtes s'ils connaissent la fresque dite « du bon gouvernement » d'Ambrogio Lorenzetti, peinte en 1338 dans la salle du conseil au cœur du *Palazzo Publico* (hôtel de ville) de Sienne. Elle avait été commandée par les neuf conseillers qui devaient démocratiquement gérer la cité. Elle avait pour rôle d'accompagner leurs choix et de les protéger de la tentation seigneuriale. Cette grande image accueillait les conseillers (et maintenant la foule tout aussi insensible au message ?) en leur montrant d'abord les effets du mauvais gouvernement, puis, après un demi-tour, elle leur permettait de redécouvrir ceux du bon. Partagés entre une ville bien gouvernée et une terre bien cultivée. Chacune des parties occupant autant d'espace.

Giovanna inscrit dans la fresque elle-même les paysages qu'on voit des terres de Pacina (qui veut dire « Bacchus » en étrusque, donc manifestement cultivées depuis un moment), suggérant que c'est la vue de Pacina. En revanche, elle a une interprétation très précise de l'œuvre peinte et elle nous explique qu'aujourd'hui encore cette vieille image joue un rôle essentiel dans la transmission de la *culture* (réunifiée) qui est sa grande préoccupation. Quand ses enfants, Maria et Carlo, étaient jeunes, elle les a emmenés en ville pour contempler la fresque, afin de mieux les enraciner dans leurs terres d'origine, terres dont elle ne se sent aucunement la propriétaire, mais la gardienne passagère. Et sa terre, elle la cultive manifestement avec ce souci du bon gouvernement qui passe les siècles, tranquillement installée, comme la femme douce qui incarne la paix dans la fresque, dans cette image que certains ne voient que comme une chose morte, à conserver précieusement, une relique. Ils ont oublié que le but de cette œuvre culturelle était de bien féconder l'homme pour qu'il féconde bien la terre *et* la société.

17

Post-partum : le jardin des autres

Il y a une formule très célèbre que tous les lycéens français ont eu à commenter. « Il faut cultiver notre jardin. » C'est dans *Candide* de Voltaire, publié trente ans avant la Révolution française. Elle sert de conclusion et de morale au conte philosophique et Candide la répète deux fois, comme une maxime universelle, comme un bien précieux. Quand on demande aux lycéens ce qu'elle signifie, ils projettent souvent le jardin dans le monde abstrait de la culture ; le jardin c'est ce qu'on aime, ce qu'on cultive, c'est sa propre vie, soi-même, c'est son jardin secret. Nous avons tous un jardin secret, consolation du jardin perdu, alors pourquoi ne pas se consoler en recréant *notre* jardin, comme le dit Voltaire. *Notre* jardin, c'est celui qu'on cultive ensemble, en communauté comme dans l'*Utopie* de Thomas More. Dans ce monde idéal communiste imaginé par un saint catholique, tout était déjà centré sur ces jardins partagés où pousse tout ce dont les Utopiens ont besoin et auxquels ils consacrent le plus grand soin : les fleurs pour la beauté, les légumes pour la nourriture, les fruits pour la saveur et la vigne pour la joie d'être ensemble. Et Raphaël Hythlodée, le voyageur inventé par More, le souligne, il n'a jamais vu de plus beaux spécimens naturels que ceux des jardins communs d'Utopie. Le bonheur utopien repose sur la culture de la terre comme acte social et culturel, au sens plein du terme : agricole, intellectuel, anthropologique, politique.

Or, dans le conte de Voltaire, comment la célébrissime formule « Il faut cultiver notre jardin » vient-elle à Candide ?

Elle lui vient par le goût délicieux de beaux fruits que lui offre un derviche qui consacre sa vie à cultiver son jardin. Il lui dit d'abord : « Je ne m'informe jamais de ce qu'on fait à Constantinople ; je me contente d'y envoyer vendre les fruits du jardin que je cultive. » Et Voltaire nous raconte la suite : « Ayant dit ces mots, il fit entrer les étrangers dans sa maison ; ses deux filles et ses deux fils leur présentèrent plusieurs sortes de sorbets qu'ils faisaient eux-mêmes, du kaïmak piqué d'écorces de cédrat confit, des oranges, des citrons, des limons, des ananas, des pistaches, du café de Moka qui n'était point mêlé avec le mauvais café de Batavia et des îles. [...]

– Vous devez avoir, dit Candide au Turc, une vaste et magnifique terre !

– Je n'ai que vingt arpents, répondit le Turc ; je les cultive avec mes enfants ; le travail éloigne de nous trois grands maux, l'ennui, le vice et le besoin. »

C'est ainsi par l'exemple d'un sage paysan et grâce à l'efficacité du goût de ses produits que se termine le conte philosophique le plus lu dans les lycées français. Il nous invite à revenir à la racine agricole de la culture qui est la source de la chose la plus précieuse à l'homme : son goût et la liberté de le reconnaître, de le dire, de le partager. Et le premier cadeau que nous font les vignerons naturels, comme le sage turc, c'est de nous redonner le goût de la terre, du fruit, et d'une histoire accidentée, forcément unique et locale. Une histoire commune, dans tous les sens du terme.

18

What's wine got to do with it ?

(with apologies to Tina Turner)

La nature (ou culture) du naturel

Si on peut accepter que l'acte agriculturel est pleinement culturel dans tous les sens de l'expression, revenons au portrait (forcément cubiste) du vin naturel pour lui coller (à la Braque) une autre facette.

Le vin dit « conventionnel » n'est conventionnel que depuis les cinquante dernières années sur huit mille ans d'histoire. Ce nouveau produit est un vin complètement dénaturé, qui devrait s'appeler non pas vin, mais plus honnêtement « boisson alcoolisée à base de jus de raisin ». À partir de là, on devrait pouvoir lui trouver un autre nom (le « boissevin » sonne-t-il assez faux ?).

Si 99 % des vins au monde ne sont, au fond, pas vraiment des vins, que regroupe le 1 % restant ?

Tout d'abord, ce n'est pas du tout un vin rousseauiste ni thoreauiste (même s'il évoque la désobéissance civile de l'Américain). Ce n'est pas un vin nostalgique né d'un désir de retourner faire et boire le vin antique ni le vin domestique que faisait le grand-père paysan qu'on a tous (ou qu'on imagine tous avoir). Ce n'est pas non plus le vin des fantasmes romantiques, passéistes ou luddites, c'est-à-dire pas un vin antitechnologique ni antimoderne. C'est, en revanche, un vin qui cherche à s'ancrer dans le passé de manière intelligente, informée, amoureuse mais pas aveugle, afin de pouvoir innover, remettre en question, voire casser les règles. C'est-à-dire dans une continuité qui est la nature même de toute expression culturelle, en peinture, en architecture, en littérature, en cinéma. En agriculture.

Giovanna Tiezzi explique que son travail, en tant que vigneronne, consiste essentiellement à préparer le fruit. Après, la grande différence (car ça s'applique aussi à de nombreux producteurs bio et presque à tout biodynamiste) et la grande audace (et c'est là qu'on sent la radicalité de ce mouvement), c'est au niveau du travail dans la cave qu'on les rencontre. Mais, contrairement au vin chimique et même à certains vins bio et à quelques autres biodynamiques, le vin naturel est conçu non pas comme un *produit* du terroir mais comme un *vecteur* du terroir.

Dans le monde du cinéma, cette transparence d'émotion profonde peut s'appliquer aux relations entre le réalisateur et le comédien. Il y a des échanges miraculeux entre Marlon Brando et Elia Kazan dans *Sur les quais* par exemple, où on a l'impression d'un comédien complètement à l'écoute du réalisateur et d'un réalisateur lui-même complètement fasciné par son comédien, jusqu'à ses racines. On ne peut pas ne pas voir ou revoir ce film sans un frisson, comme si on assistait au moment où Kazan parle avec Brando et dit : « Action, Marlon ! » Il y a une intensité qui nous fait trembler. C'est la magie du cinéma qui préserve, depuis soixante ans maintenant, ce moment de grâce. La qualité de cette vie intérieure, à laquelle Brando avait accès avec l'intensité qu'on voit chez certains enfants ou chez certains animaux sauvages, est simplement ce que beaucoup confondent avec le travail d'un comédien. Elle est liée à la nature de l'être humain. Chaque comédien connaît un moment où tout se met en place – le réalisateur, le personnage, le scénario et le contexte de production – pour lui permettre de se révéler, d'être un pur vecteur du désir (ce que Matthieu Mével illustre avec grâce dans son livre *L'Acteur singulier*[1]). C'est, me semble-t-il, ce que cherche le vigneron naturel dans le rapport de son vin à la terre.

Pendant notre journée de tournage du film sur la mise en scène (*Searching for Arthur,* 1997), Arthur Penn me racontait la capacité de Kazan à instaurer une ambiance où l'acteur avait envie, presque besoin, de se révéler. Bien sûr, il y avait une chaleur humaine : Penn me disait que Kazan posait souvent ses mains sur le comédien, ses bras autour de lui. Mais tout aussi essentielle était la conviction du réalisateur – transmise au comédien – que le lieu – l'émotion du lieu – comptait autant. Avec la lumière et la position de la caméra dans un rapport inextricable avec la vitalité du comédien, le *topos*, l'âme du lieu, son « terroir », serait révélé. Pour Penn, il allait sans dire qu'il existe trois cent mille façons d'arriver à cette expression du terroir cinématographique et chacun peut l'atteindre à sa manière, selon sa personnalité, sa culture et ses désirs. Comme le terroir des vins.

Au milieu du tournage, assis à côté d'Arthur Penn dans un taxi, tandis que je pointais ma caméra à quinze centimètres de son nez, il me disait, visiblement mal à l'aise,

1. Matthieu Mevel, *L'Acteur singulier,* Arles, Actes Sud, 2015.

que la manière dont les comédiens réussissent à développer une émotion devant le verre – devant l'objectif – restait un mystère pour lui. Lui, Arthur Penn, un des plus grands directeurs d'acteurs dans l'histoire du cinéma, qui a su tirer le meilleur de Gene Hackman, Dustin Hoffman, Jack Nicholson, Warren Beatty, Marlon Brando, Robert Redford, Paul Newman et d'autres encore[1] !

Selon Penn – sans doute trop modeste, du moins par rapport à lui-même –, 80 % de la mise en scène réside dans le choix des comédiens. Mais, après tant d'années passées avec des vignerons naturels, naturalistes (ou *naturalisants*), je suis persuadé que la mise en scène ressemble à leur travail de fins observateurs, de joyeux accoucheurs. En choisissant les comédiens et le lieu de tournage, on établit le terroir pour ensuite ne pas diriger mais *être avec* les sujets (acteurs et décor) qu'on filme. Évidemment, de *très* grands cinéastes comme Mizoguchi, Wilder, Welles, Fellini, Kubrick, Hitchcock ne s'inscrivent pas dans cette démarche, cherchant dans des stratégies parfois baroques à éloigner le lieu du réel, le comédien de lui-même et l'ensemble de notre « familier », du reconnaissable. Mais la liste de ceux qui le font est très longue, une liste radicalement hétéroclite qui comprend, à mes yeux, Cassavetes et Bresson, Fassbinder et Rossellini, Pasolini et Bergman (dans ses meilleurs films justement !) Scola et Ray (Satyajit et Nick !), Renoir, Jia Zhangke, Laurent Cantet, les premiers Harmony Korine et Alexander Nanau… *ad* (presque) *infinitum.*

---

1. Pour ceux qui pensent qu'il est facile d'être un bon directeur d'acteurs avec cette liste-là, il suffit de voir *Night Moves*, *Little Big Man*, *Bonnie & Clyde* ou d'autres films de Penn pour comprendre que chaque rôle, jusqu'au plus modeste, est aussi « habité » que ceux des stars.

En tout cas, je ne pense pas que la mise en scène se résume à ce qui a été étudié pendant des années par les grands critiques et domine encore leurs discours (et donc les rêves des réalisateurs ambitieux) : le langage formel de la caméra, l'esthétique affichée, la plastique de l'image conçus comme une fin en soi. Aimer et commenter le cinéma ne doit pas se résumer à repérer celui qui fait les plus grands travellings ni celui qui hurle : « Regardez mes silences interminables comme ils sont profonds et beaux ! », ni encore celui qui joue toujours avec le bord du cadre pour des raisons ostensiblement symboliques.

L'essentiel de la mise en scène n'est pas un engagement formel. C'est une façon d'être présent et d'établir une relation entre l'image et le terroir du tournage : lieu, acteurs, vie humaine et vie topographique. Nous aussi, les réalisateurs, nous pouvons chercher la vie biologique des sous-sols... et partir à la recherche de la minéralité.

Une mise en scène (naturelle)

Cette minéralité d'une roche-mère, je l'ai sentie avec *Résistance naturelle*, un film aussi modeste que possible, qui racontait, comme par hasard, la douce révolte de vignerons naturels en Italie. Je n'avais pas du tout pensé faire un film de ce qui sortirait de la rencontre entre le directeur de la cinémathèque de Bologne, Gian Luca Farinelli, et quelques vignerons, Corrado Dottori, Giovanna Tiezzi, son mari Stefano Borsa et Stefano Bellotti[1]. Je les ai rassemblés pour discuter d'un projet que je voulais monter à Bologne,

1. La vigneronne Elena Pantaleoni est aussi très présente dans le film, même si elle était absente lors de la réunion initiale.

un projet qui se concrétisera peut-être prochainement : un échange pendant trois jours entre agriculteurs qui font des produits de tradition devenus illégaux grâce à Bruxelles en dialogue (et en vendant illégalement) avec dix films qui incarnent la désobéissance civile joyeuse.

Même quand j'ai commencé à filmer autour d'une table, en Toscane chez Giovanna Tiezzi, dans le jardin magique de Pacina, un ancien monastère où nous étions réunis, je ne pensais pas à *mettre en scène*. Mais je me suis placé, caméra en main, comme un acteur dans la mise en scène d'un autre. Dans ce cas-ci, l'accompagnement cinématographique de cette fermentation spontanée produite par ces personnages, dans ce lieu, à ce moment-là : une mise en scène naturelle où le réalisateur-cadreur devient acteur. Et *vice versa*.

Fruit de la vitalité des échanges et de l'inconscience avec laquelle je les écoutais et les filmais, à un moment donné, la mise en scène est devenue consciente, toute seule. J'avais l'impression de me mettre au service de quelque chose qui ne m'appartenait pas. J'ai vu qu'un flux transparent circulait entre ce que je ressentais, ce que j'écoutais, ce que je transmettais à travers la caméra (pour le meilleur et pour le pire !). J'ai senti une profonde intimité : du lieu, des gens qui le « fécondaient » et donc, obligatoirement, de ma caméra.

À ma grande surprise, et après seulement trois mois de montage (normalement il me faut un an au minimum), le film arrive sur grand écran, partagé par un public. Ce qui est très important pour moi, parce que cela agrandit ce que j'ai filmé, senti, vu. Le cinéma nous grandit tous dans tous les sens du terme. Quand on fait un film, sachant qu'il sera vu sur un petit écran d'ordinateur ou même de téléphone, on ajuste forcément la dimension intérieure du geste. Quand on travaille depuis trente ans avec l'idée de faire des films de cinéma, faits pour être vus en salle, c'est important, je pense, qu'il y ait autant de mise en scène dans des actes inconscients que dans le travelling le plus tarabiscoté de *Signs & Wonders*, par exemple. Je l'ai filmé en collaboration (tempétueuse) avec Giorgos Arvanitis, chef opérateur renommé d'Angelopoulos, prince des travellings les plus longs, les plus majestueux et parfois les plus narcissiques de l'histoire du cinéma. Ceci étant dit, les travellings de dix minutes qui occupent la plupart des quatre heures du *Voyage des comédiens*, je les range parmi les moments les plus magiques de ma vie d'amateur de cinéma.

Orson Welles (encore lui, oui !) disait que ce qui séparait les hommes des garçons dans la réalisation, c'était de savoir réussir un travelling. Quel macho ! Mais ses travellings ainsi que ceux de Max Ophüls (auteur des sublimes *Le Plaisir*, *La Ronde*, *Madame de...*) les placent tous deux, dans le panthéon du cinéma, dans un registre de maîtrise du métier au même niveau que Raphaël, Vermeer, Rembrandt ou Picasso dans le panthéon de la peinture. La phrase de Welles pesait sur moi à l'époque de *Signs & Wonders*, mon deuxième film de pure fiction. Je pensais, comme beaucoup de jeunes réalisateurs, que, pour arriver à la mise en scène, il fallait que je maîtrise les travellings. J'en ai fait beaucoup sur *Signs & Wonders*, mais je les ai presque tous éliminés au montage. J'ai compris que les travellings n'étaient pas pour moi des gestes naturels. Comme si j'essayais d'écrire ce livre (encore là, cher lecteur ?) en alexandrins.

Mais ne considérant jamais mes positions comme idéologiques (preuve d'une grosse hypocrisie ?!), *Rio Sex Comedy* – le dernier film de fiction que j'ai réalisé avant *Résistance naturelle* – commence, après un prologue, par un très long et très complexe mouvement de caméra. Pour présenter le personnage interprété par Charlotte Rampling, chirurgienne esthétique anglaise installée à Rio, loufoque, rebelle et surréaliste, on a trouvé, complètement par hasard, une forme de travelling sur trois cents mètres en moins de deux minutes. N'avais-je rien appris de *Signs & Wonders* ?

Qui sait ? Mais, en fait, le plan-séquence ici était l'inverse même des travellings factices que j'avais faits avec Arvanitis et les trente personnes de son équipe à Athènes. Après l'expérience libératrice, post-*Signs & Wonders*, de *Mondovino*, où je filmais seul ou avec une amie, parcourant le monde (avec tous les défauts et toute la vitalité que cela comprend) et après avoir fait la connaissance de plusieurs vignerons naturels, je recherchais surtout la spontanéité et l'imprévu dans la mise en scène du film que je tournais au Brésil.

D'abord, le projet avait été conçu avec la complicité de plusieurs grands amis acteurs : Charlotte Rampling, Irène Jacob et son mari Jérôme Kircher, Jean-Marc Roulot, puis Fisher Stevens et Bill Pullman aux États-Unis et d'autres encore. Nous avions d'emblée établi une coopérative où tout le monde – comédiens et techniciens – recevait le même salaire. Nous partagions les parts de la production en copropriété d'artisans. Afin de gagner le maximum d'autonomie et la plus grande capacité d'improvisation, les comédiens étaient tombés d'accord pour s'occuper eux-mêmes de leurs costumes, cheveux, maquillage, etc. Le chef opérateur, Lubomir Bakchev, qui avait fait l'image des quatre premiers films de Kechiche, était également enthousiaste à l'idée de travailler avec deux personnes, au lieu de trente à quarante. À l'arrivée, on était sept techniciens sur le plateau au lieu des soixante de *Signs & Wonders* et tant d'autres films. Nous avons pu tourner, comme et quand nous voulions, pendant cinq mois et demi, alors qu'un tournage « normal » dure entre un et deux mois et que même les tournages des grands films Hollywoodiens dépassent rarement les trois mois.

Voici donc comment je me suis retrouvé devant un travelling qui ne trahissait pas, à mes yeux, l'esthétique (et donc l'éthique) de « mon » naturel. Un jour, je tournais avec Charlotte Rampling à l'hôpital de Santa Casa, le plus vieux des Amériques et le lieu où le chirurgien plastique le plus renommé de la planète, Ivo Pitanguy, dirige une deuxième clinique de chirurgie plastique pour les moins fortunés ! Seulement au Brésil. Après avoir tourné des scènes drôles et touchantes, où Pitanguy joue lui-même en face de Charlotte, en temps réel et avec de vrais patients à la recherche de sa touche miraculeuse, le travail prévu pour toute la journée était achevé dès 14 heures. Tenté de donner une demi-journée de congé à tout le monde, je me suis néanmoins rendu compte qu'on travaillait tous justement afin de pouvoir profiter de cette liberté. Alors, j'ai fait une proposition à Charlotte et à Lubo, avec qui je m'entendais à merveille, car c'est un des seuls chefs opérateurs que j'aie jamais connus qui sache « écouter » avec sa caméra autant qu'il peut « filmer ». Il y avait un jardin enchanté à l'intérieur de l'hôpital plutôt glauque où j'avais imaginé que le personnage de Charlotte pourrait trouver sa grâce et sa liberté. Mais, pour y arriver, il fallait passer par une rue sale et bruyante, l'entrée principale, baroque et délabrée, le vaste hall chaotique avec patients, médecins, vendeurs qui courent partout…

J'ai proposé à Charlotte et à Lubo de tourner un plan qui relie tout, laissant venir la réalité (la leur et celle des autres). Chaque prise était différente car je ne voulais aucun figurant ni contrôle des passants, tout en essayant d'établir la fantaisie du personnage du Dr Charlotte Jones, chirurgienne esthétique qui tente de dissuader tous ses patients de passer à l'acte.

Charlotte, vêtue d'une robe blanche sublime tirée de sa propre garde-robe, a simplement dit : « *Why not ?* » Lubo souriait de son côté et s'est tout de suite mis à endosser le steadycam, une veste avec gyroscope à laquelle est attachée la caméra, articulée sur un bras afin de faire des travellings plus glissants et spontanés. Et surtout autonomes. Entre les mains d'un opérateur moyen le steadycam produit une série de mouvements banals qui donnent l'impression d'être des prises sous-marines. Entre les mains d'un grand artisan sensible comme Lubo, il permet de peindre l'espace en mouvement en fonction d'un sujet éphémère, dans un rapport lui-même constamment déplacé.

Une fois que l'appareil a été monté sur lui, Lubo ressemblait à Robocop. Charlotte, en revanche, portait déjà l'enchantement en elle. Au milieu du chaos de l'hôpital public carioca d'aujourd'hui, elle rayonnait comme Françoise Dorléac dans *L'Homme de Rio* tourné presque cinquante ans auparavant. Mais je me demandais si son regard espiègle et radieux était aussi dû au tournage de la matinée : sa rencontre surréaliste, dans une grande salle de Santa Casa, avec le Dr Ivo Pitanguy et de jeunes étudiants en chirurgie qui rêvaient de sa gloire et de sa richesse – il est certainement un des Brésiliens les plus riches et célèbres – et les patients très modestes de Rio avec leurs rêves de glamour assez éloignés du Rio imaginé par Philippe de Broca, Belmondo et Dorléac en 1964.

En tout cas, quand Charlotte et Lubo m'ont dit qu'ils étaient prêts (quel bonheur de savoir que tourner ne dépendait pas de cinquante personnes, dont quarante n'ont aucun lien direct avec la prise, mais uniquement des deux principaux « acteurs »...), j'ai regardé autour de moi jusqu'à ce que je voie un mouvement de foule qui me plaisait, et j'ai fait à Charlotte un petit signe de la tête. On partait à l'aventure…

Charlotte montait les grands escaliers de l'hôpital comme son père, ancien militaire, très anglais, d'un pas sûr. Lubo la suivait discrètement. Une fois dans l'entrée, elle a ralenti son pas. Lubo aussi, mais la distance entre lui, filmeur, et elle, filmée, changeait, se transformait. Tout comme son angle d'attaque, l'éventuelle perspective du spectateur. Instinct de Charlotte ? Instinct de Lubo ? Obstruction des passants ? En tout cas, au moment où elle a vu la porte s'ouvrir vers le jardin signe d'un calme possible, elle a accéléré. Lubo s'est accroché à elle pour un instant, puis, au lieu de la coller, a fait un contre-mouvement. Il s'est éloigné afin de la cadrer sans aller plus vite qu'elle. Une danse entre eux a commencé. Je les suivais avec délectation, excité par la beauté et la simplicité de ce qui se produisait, aussi bien que par son côté improbable au milieu d'un véritable hôpital. La chose la plus géniale, pour moi, c'était que, déjà avec la première prise, tout le monde acceptait comme si c'était normal la dame majestueuse en blanc et le garçon qui courait derrière elle déguisé en Robocop. Mais ils n'étaient que deux. Et complètement à l'aise dans l'étrangeté de ce qu'ils faisaient. Comme si c'était naturel.

Pour accéder au jardin, il y avait deux escaliers à dix mètres l'un de l'autre. Charlotte prit celui de gauche. Lubo s'est à nouveau approchée d'elle, puis au dernier moment, a descendu l'escalier de droite, créant ainsi un contre-mouvement pour contenir, mais de loin, avec un changement vertigineux, Charlotte dans le cadre. Je suivais la scène derrière lui, le regard partagé entre la comédienne et le petit écran portable qui me montrait le plan en train de se dérouler (autre hypocrisie par rapport au partage du regard du réalisateur ? En tout cas, pour des travellings complexes, l'émotion de la caméra est aussi importante que celle de l'acteur).

Alors, comme tout comédien profond, Charlotte a senti la valse magique qui s'invitait entre elle et Lubo. En arrivant dans le beau jardin – calme impossible au milieu du chaos trop possible –, elle s'est glissée dans le moment. Je voyais son pied droit faire un petit mouvement. Comme un pas en arrière, puis en avant. Et tout d'un coup, elle s'est mise à danser, sur une musique invisible, inaudible.

Son personnage de chirurgienne arrive le matin à l'hôpital public de Rio et se met allègrement à danser toute seule dans le jardin. Lubo, le filmeur-écouteur, a réussi, pendant la minute suivante (une éternité pour une prise), à non seulement accompagner Charlotte dans sa joyeuse folie spontanée, mais à trouver une réponse visuelle à son appel. Toujours pudique, respectueux, subtil, dans ses propres mouvements. Jamais « show-off ». Toujours au service de la personne et du lieu filmé, mais avec un élan tout aussi créatif et puissant. Quand la danse s'achève, Charlotte se retrouve devant une petite statue de la Vierge. Ni elle, ni son personnage, ni Lubo n'allait l'exclure de la fête.

On a refait au moins sept prises, mais la magie de la première n'était pas reproductible. Elle domine le montage, même si j'ai entremêlé de petits passages des autres. Et si je suis si fier de ce plan, ce n'est pas de la fierté d'un auteur qui se pense démiurge – car je n'y étais que pour très peu dans sa création – mais, comme Giovanna Tiezzi, en tant qu'accoucheur d'un terroir ineffable.

Chaque réalisateur a évidemment sa manière de concevoir la mise en scène comme chaque vigneron a sa façon d'aborder la terre, la plante et la cave. Certes il y a des principes communs, mais il n'y a pas un vin naturel qui ressemble à un autre. Il y a beaucoup plus de diversité en fait dans (moins de) 1 % des vins que représentent les vins naturels que dans les autres (plus de) 99 % des vins du monde.

On l'a vu, la clef pour la vitalité d'un vin est une fermentation spontanée, grâce aux levures indigènes. La fermentation est une étape délicate, risquée. S'il y a une ambiance fausse dans la cave, on ne peut pas attendre du jus qu'il révèle les arômes du terroir. Qu'est-ce qu'un comédien va révéler si l'ambiance du plateau est soumise à un jeu de pouvoir, dans une ambiance complètement fausse ?

Ceci étant dit, il faut nuancer, car il n'y a pas que Cassavetes, qui était peut-être le réalisateur le plus follement amoureux des comédiens, en tout cas celui qui a su transformer chacun de ses acteurs en un poète maudit à l'instant même de le filmer. À l'opposé, il y a Kubrick qui cherchait à tout prix à mettre les comédiens mal à l'aise. Kubrick cherchait à écraser le comédien jusqu'à ce que, cassé, il fasse sortir quelque chose d'inconscient. En 1998, j'ai passé un week-end – un casting exploratoire pour *Signs & Wonders* – avec Rade Šerbedžija, comédien serbe qui venait de tourner pendant des mois avec Kubrick dans *Eyes Wide Shut*. Je me souviens du regard (*eyes wide open*) de Rade quand il me racontait les humiliations subies non seulement par lui mais aussi par Tom Cruise lors des prises. Pour une scène assez simple, avec peu de dialogues et des actions minimes, il m'a dit que Kubrick, sans jamais s'expliquer, avait exigé soixante-quinze prises ! Pour comprendre la folie de cette démarche, il suffit de savoir que deux à cinq prises serait un chiffre « normal » dans un film et que, de dix à quinze, on serait déjà dans l'exceptionnel. Soixante-quinze, c'est du jamais vu. Surtout pour une scène secondaire qui risquait d'être coupée au montage. Rade me racontait que Kubrick n'expliquait jamais pourquoi les prises étaient ratées. Il restait silencieux, souvent enfermé dans sa loge, inaccessible aux comédiens, sauf par haut-parleur, où il lâchait un laconique : « *Another take, please.* » Soixante-quinze fois ! Selon Rade, quand ils ont fait la dernière, il n'y avait rien de perceptiblement différent aux soixante-quatorze autres.

On peut mettre en question l'éthique de Kubrick, mais il est indéniablement un des plus grands réalisateurs de l'histoire du cinéma et il était indéniablement naturel chez lui de chercher cet inconfort. *Eyes Wide Shut* est, pour moi, un film magistral sur le malaise absolu de notre époque, un film qui rend l'angoisse existentielle d'Antonioni des années 1960 presque douce et folklorique.

Cela explique aussi son goût pervers pour un choix de comédiens qu'il méprisait d'emblée, notamment Ryan O'Neal pour *Barry Lyndon* et Tom Cruise pour *Eyes Wide Shut*. Je me demande si cette façon perverse et cruelle qu'avait Kubrick d'épuiser et d'humilier ses comédiens, ne produisait pas, à l'arrivée, le même effet que l'intimité chaleureuse d'un Kazan ou d'un Penn. C'est-à-dire dévoiler la nature inconsciente du comédien. L'un par un abus indéniable de pouvoir, un acte grotesque (mais fascinant), les autres par le biais traditionnel de la tendresse et de la mise en confiance. Dans les deux cas, la fermentation spontanée est possible.

19
Le Graal de l'authentique

L'authenticité est un mot désuet. Depuis longtemps, il est saccagé par toutes les perfidies politiques du monde. Celles qui en font un outil réactionnaire, nom d'une pureté malsaine, comme celle des faiseurs de profits qui y voient un frein à la croissance. Pour ceux-ci, l'authenticité est un obstacle à l'industrialisation qui repose sur la reproduction à grande échelle et sur la publicité, la mise en valeur mensongère du produit. Sans rentabilité intrinsèque, l'authenticité est un poids mort dans les sociétés industrielles et postindustrielles où la finance règne. Imaginerait-on qu'un banquier qui spécule sur des dérivées chiffrées puisse se poser la question de l'authenticité du non-produit ou du système de non-produits qu'il vend ?

Une société vouée à la consommation d'objets et d'aliments de plus en plus artificiels, inutiles et éloignés de nos besoins biologiques (mais pas de nos besoins psychologiques) va-t-elle se soucier de l'authenticité ?

Mais de quel coin obscur est venu le dernier clou pour fermer définitivement le cercueil de ce mot, de cet idéal homérique ? Homérique car mythologisant, volontairement

« primitif » en apparence mais en réalité au cœur du sens de la civilisation humaine : essentiel pour ceux qui y pensent. Le marteau et son clou sont venus du postmodernisme, partenaire idéal car ostensiblement opposé, avec son goût pour les jeux intellectuels, son approche de la forme considérée comme une substance, et son projet de désubstantialisation des choses.

Sans doute les multiples engagements des vignerons naturels proposent-ils une réponse solide, matérielle et spirituelle à la recherche de ce Graal démodé. C'est probablement ce qui me touche chez eux. Gian Luca Farinelli, directeur de la cinémathèque de Bologne (et un des protagonistes de *Résistance naturelle*), discutait avec Giovanna Tiezzi à Pacina du refus de la commission qui devait attribuer la DOC chianti à ses vins, parce que, selon elle, ils sont historiquement atypiques (ce qui est exactement le contraire des faits). Farinelli réagissait : « L'histoire n'est jamais fixe. Il n'y a pas de vérité culturelle car la culture est toujours en mutation. » Certaines tribus ont gardé les mêmes gestes durant très longtemps : moins elles avaient de contacts avec des cultures différentes et plus elles pouvaient préserver leurs gestes, leurs comportements et leur pensée. Mais, en Occident, l'histoire n'est qu'une longue série d'épisodes de contamination et de mutation.

Alors le mot « authenticité » suscite des questions complexes. Il est presque, en sa nature sémantique, un oxymore. Il peut être employé pour défendre une idée passéiste comme être invoqué en tant que vecteur d'un progrès durable. Mais surtout, il est pour beaucoup le nom de ce qui fuit, de ce qu'on perd, d'un paradis perdu. Comme beaucoup de gens de mon âge, j'ai souvent eu l'impression de voir disparaître les dernières traces de gestes authentiques. C'est une préoccupation qui a, à peu près, dix mille ans d'histoire, répétée à chaque génération. De tout temps l'homme a dit : « De mon temps les choses étaient plus authentiques... » Certes. Sauf que, cette fois-ci, de nos jours, le rythme des changements s'est exponentiellement, follement, accéléré. Et que la disparition des vitamines dans les fruits n'est pas une illusion venue avec l'âge.

En Bourgogne, le vin fabriqué en 200 av. J.-C., celui que les Romains ont produit lors des deux ou trois premières décennies de l'ère chrétienne et le vin du Moyen Âge ne se ressemblaient sans doute pas. Et entre les vins médiévaux, ceux des princes de Conti au XVIIe siècle, et le vin d'Aubert de Villaine, à la Romanée-Conti, aujourd'hui, les différences sont certainement considérables. Personne ne peut les décrire précisément mais ce qu'on peut affirmer avec certitude, c'est que chaque transformation importante s'est produite sur une centaine d'années.

Il y a ainsi une courbe d'évolution dans le goût et dans la conception culturelle du vin qui accompagne tranquillement l'arc de la vie d'un homme... et souvent de ses enfants. Le temps s'inscrivait dans le vin comme le vin s'inscrivait dans le temps. Mais le temps « culturel » accompagnait le temps des hommes. On ne naissait pas avec une vérité pour mourir avec la vérité contraire. Les choses allaient plus lentement et une vie ne suffisait pas à épuiser le champ d'un savoir technique.

Ces dernières années, une rupture violente s'est produite, amenant un changement non pas sur trois ou quatre générations, mais à la moitié d'une seule. Au milieu de la vie d'un homme. Nous vivons dans un monde technologique que les adolescents expliquent aux adultes, retournant ainsi l'ordre de la transmission. Et tout ce qu'on peut observer dans le monde nous pousse à imaginer que cet effet va s'accélérer encore. Comme Enzo Tiezzi, père de Giovanna, l'avait prévu suite au choc entre le temps biologique – de la terre et de l'homme – et le temps historique imposé par la volonté de l'homme.

L'authentique et l'éthique

Concernant le vin naturel, et comme pour tout geste culturel, il ne suffit pas d'évoquer un geste sincère. La sincérité ne garantit pas l'authenticité. La sincérité n'appartient qu'au sujet qui accomplit le geste, elle se mesure par rapport à lui-même, mais on peut être sincère sur tout et se tromper sur tout, être injuste.

En revanche, si on est sincère et qu'on prenne en compte dans son geste quelque chose qui n'appartient pas à soi et qui existe hors de soi, qui est donc « autre », comme la nature pour le vigneron ou la réalité filmique pour le cinéaste, et qu'on l'intègre à sa propre sincérité, qu'on respecte ce qu'elle est, alors on entre dans quelque chose de l'ordre de l'éthique, c'est-à-dire de la rencontre avec cet autre en soi-même. Et si on entre dans l'idée du geste éthique, l'élaboration intellectuelle et la sincérité spontanée se retrouvent mêlées parce que la qualité « éthique » d'un geste est produite par la synergie d'un cadre social et d'une intention personnelle. Dans l'éthique, il y a l'idée de la rencontre entre une sincérité subjective et une réalité objective et partagée, une réalité qui appartient, certes, à celui qui agit mais aux autres aussi.

On ne peut pas faire un vin tout seul, on ne peut avoir un raisin ni un vin authentiques à son image, comme un tableau de Friedrich. Il faut qu'il y ait dedans un respect de l'altérité. On ne peut pas faire un film tout seul. Documentaire comme fiction, le film puise sa matière dans la réalité filmée.

Il faut aussi distinguer une morale de l'authenticité d'une éthique de l'authenticité. La morale de l'authenticité amènerait à faire un vin idéologique, à partir d'une vérité universelle et de la recherche d'une formule à appliquer. On ne serait pas loin de la notion de pureté, toujours dangereuse, et des dogmes religieux. Certains, parmi ceux qui prônent un retour à l'authentique, ont fait leur démarche morale, en affirmant qu'un vin ne serait pas naturel s'il contenait un milligramme de soufre ajouté. Ils veulent imposer des règles strictes garantissant la pureté du vin naturel, quitte à ce qu'il perde de sa sincérité en n'étant plus au goût de celui qui le fait (et qui aurait préféré le dogme à sa propre sensibilité).

Dans le cinéma on peut évoquer le « Dogme 95 » qui, à force de chercher une pureté cinématographique pour tous les auteurs qui souscrivaient à un ensemble d'interdits intransigeants (quoique jamais tout à fait respectés), en arrivait à produire une image d'une facticité visible, où le réel n'était qu'une posture. Néanmoins, j'aime certains films qui en sont sortis, surtout *Les Idiots* qui reste pour moi le grand film de Lars von Trier, car le seul où je pense qu'il ne se cache pas. Le film raconte un groupe de marginaux, bohémiens – troubadours si on veut – qui se livrent à une série de provocations dans une petite ville, trichant, bluffant, racontant des mensonges, jouant sur leur capacité d'esbroufe pour provoquer la « vérité » chez les autres, les innocents. Intrigué par l'aspect peut-être autobiographique chez von Trier, poussé par cette sensation qu'il s'est finalement révélé, j'ai demandé à notre grand ami commun, l'acteur Stellan Skarsgård de lui poser la question. Six mois plus tard je reçois un appel : « Salut, c'est Stellan. Je t'appelle de l'aéroport de Copenhague. Je viens de partager un taxi avec Lars. Je lui ai finalement demandé si *Les Idiots* est un film autobriographique. » Silence. « Alors ? » je lui demande. « Ben… il n'a rien dit. Mais il n'a pas arrêté de rire pendant cinq minutes. »

À l'inverse du vin « moral », celui qui est le fruit d'une éthique de l'authenticité n'est pas un vin idéologique, défini et contraint par des dogmes. C'est un vin libre qui supporte un peu de soufre si nécessaire, par exemple, sans dogmatisme mais sans concession dans l'équilibre entre des convictions personnelles et le souci de l'autre.

Contrairement au discours industriel sur le vin qui ne parle que du vin comme objet et fin en soi, le vin naturel ne tient pas un discours sur le vin mais sur les relations humaines et sur la relation de l'homme à la nature. Ce n'est pas un vin qui parle du vin mais un vin qui parle de son « autre » qu'est la nature.

20

Fric Show

S'il devait y avoir un vigneron pour incarner l'éthique et l'authentique dans ses dimensions les plus complexes, ce serait bien Jean-Pierre Frick, en Alsace. Nous ne prenons pas Frick comme une exception pour dire qu'il est mieux que les autres. Il est certainement unique, comme chaque être humain l'est. Mais nous proposons un portrait de Frick afin de tisser un portrait des centaines, des milliers de ses confrères qui « pensent comme lui », même s'ils le diraient et le mettraient en action de manière différente. Car c'est cette liberté de *chacun* qui constitue l'authenticité de leurs gestes.

Ce qui distingue Jean-Pierre Frick, à nos yeux, ce n'est pas le fait qu'il a été un des premiers en France à travailler en biodynamie, dès la fin des années 1970. Ce n'est pas non plus la renommée internationale de ses vins, remontant à une époque qui précède l'avènement des vins naturels. Ce n'est pas non plus le fait qu'il a été un des premiers à expérimenter le « sans soufre » et qu'il ait eu l'idée audacieuse de l'afficher sur l'étiquette au niveau du col de ses bouteilles. Même si toutes ces qualités suscitent le respect, ce qui le distingue, c'est l'équilibre qu'il réussit à établir entre son engagement d'artisan-artiste férocement libre, d'agriculteur rigoureux, fastidieux et austère et son engagement de citoyen militant.

Jean-Pierre Frick incarne l'artiste engagé qui ne cherche pas à transformer son acte artisanal et politique en succès économique. Il dit qu'il lui suffit de gagner dignement sa vie, afin de pouvoir bien nourrir sa famille et remplir librement son rôle de citoyen et de paysan. Il y a chez lui une liberté vertigineuse qui nous rappelle la mise en scène de Cassavetes, pas dans la forme – car son style est plutôt bressonien et janséniste – mais dans la prise de risque sans compromis. Une énergie et un savoir-faire au service de soi-même bien sûr, mais tout autant au service des autres. Ses raisins s'expriment avec la même intensité, spontanéité et dignité inattendue que Peter Falk, Seymour Cassel ou Gena Rowlands entre les mains de Cassavetes. Pour ceux qui ont envie de le ressentir, leurs prétendus défauts font toute leur noblesse.

Un jour de juillet, nous allons rencontrer Frick chez lui. Il nous accueille à la gare de Colmar à quelques dizaines de kilomètres de Pfaffenheim. À cinquante-huit ans, maigre et tendu, presque ascétique, Frick brille par ses yeux et la chaleur de son sourire. Nous allons remarquer, durant la journée, que son visage alterne entre ce sourire spontané et presque enfantin et une intensité déroutante, déstabilisante (car sans filtre) quand il aborde les sujets qui l'indignent. Et ils sont aussi nombreux que ceux qui provoquent son sourire.

La maison de la famille Frick est *typiquement alsacienne*, avec colombages et torchis. On s'installe dans la salle d'accueil, la partie « publique » de la maison, où il reçoit les clients et fait déguster ses vins. Mais, à la différence de beaucoup de salles d'accueil de vigneron décorées façon folklore local et où sont affichés médailles et agrandissements d'articles élogieux sur tous les murs, ici tout est fonctionnel, modeste, aucun signe du kitsch alsacien. Par contre, sur les tables, on voit des piles de dépliants et, aux murs, des affiches qui parlent de tout autre chose que du domaine Pierre Frick (le nom de son père, qu'il a gardé).

Ici un appel à la désobéissance civile devant la centrale nucléaire de Fessenheim (à vingt-trois kilomètres), là une réunion locale de troc de semences entre paysans. Un autre dépliant explique le TAFTA en détail, en termes simples, clairs et clairement militants.

Frick raconte : « J'ai été conseiller régional pendant six ans, chez les Verts… que j'ai quittés en 2005 au moment de l'histoire du traité pour la Constitution européenne. Je suis parti sans regret. Les Verts appelaient à voter pour ce traité constitutionnel européen et, en fait, c'était un traité de commerce qui n'était pas un traité démocratique de citoyenneté pour une Europe sociale. » Il cherche dans les yeux de ses interlocuteurs pour voir si on suit, si on est d'accord. Il nous laisse le temps de rebondir si on le souhaite. « L'économie, c'est bien, mais il n'y a pas que ça. L'économie devrait être au service du social. C'est comme le TAFTA. C'est un traité qui bénéficie aux grandes entreprises et le volet social a été complètement viré, comme le volet culturel. »

Il sait qu'il parle avec deux représentants du monde culturel. Il poursuit : « J'ai dit : "Non, si c'est ça, moi je pars." J'ai démissionné. Quand on dit être radical, c'est aller aux racines des choses ; pas coller des sparadraps et faire des petits pas. Mais quand tu inscris une connerie fondamentale, il faut appeler un chat un chat et parler des multinationales. Et dire que si les multinationales payaient leurs impôts en France, il n'y aurait plus de dette ! »

Je lui demande si son engagement vient de son père. Frick fait un mouvement subtil des sourcils : « Il a souffert d'une histoire compliquée. Mon grand-père, mort en 1956 quand j'avais six mois, était né en 1888. Durant toute sa scolarité, l'Alsace était allemande, et il n'y avait pas de frontière entre l'Alsace et le pays de Bade. Apiculteur, il maîtrisait mieux l'allemand que le français. Il s'intéressait au greffage et avait autant de relations à Fribourg qu'à Strasbourg et Colmar. Il était aussi un peu viticulteur. À cette époque tout le monde vivait un peu de tout. Certaines années, la viticulture dominait, d'autres années, c'était l'apiculture, parfois les céréales, le lait, etc. » Frick parle aisément mais l'histoire qu'il raconte le trouble. Je me rappelle les mots d'Arthur Penn sur ce qui fait que les gens se révèlent lors de ces moments d'inconfort. Mais, en même temps, Frick n'hésite pas.

« Lui, il était dans cette culture allemande, donc, quand l'Alsace a été annexée en 1940, vu qu'il avait plein de liens, il a accepté la charge d'intermédiaire entre les autorités allemandes et la population d'ici. Ça s'appelait *Ortsgruppenleiter*. J'ai eu la chance de rencontrer, en achetant des petites parcelles de vignes, des dames qui m'ont parlé de mon grand-père. En 1944, il a été mis en taule. Parce que la ville est passée sous le contrôle des alliés, alors que, en fait, il avait plutôt fait du bien. » Frick paraît légèrement inquiet. « Il avait permis à certains de ne pas faire l'armée, de ne pas aller sur le front de l'Est, mais mon père, né en 1927, a été stigmatisé. Une fois, il est allé chez le coiffeur et le coiffeur, avec la tondeuse, lui a fait une croix gammée et lui a dit : "Espèce de fils de nazi… Maintenant rentre chez toi !" »

Frick guette notre réaction.

« Donc, pour mon père, tout ce qui était un peu syndicaliste, c'était pas bon parce que mon grand-père était syndicaliste… Et mon père a toujours dit : "Moi j'ai vu comment ils l'ont fait chier, il a fait de la taule." Du coup, c'est mon père qui a dû assurer l'exploitation très jeune, donc il n'a pas trop voulu s'engager. Et je le comprends. »

On veut en savoir plus sur son enfance, imaginant qu'il n'a pas grandi dans un milieu où on parlait politique. « Tu sais, moi je suis parti très tôt ! Mes parents avaient beaucoup de travail et il y avait trois gamins. J'étais l'aîné et ils pensaient qu'une école de curés c'était mieux. Donc moi, à neuf ans, j'ai été dans une école à Issenheim. De neuf à treize ans. Je ne rentrais à la maison que le samedi midi. Ce qu'on a vécu à cette époque-là c'était sportif : un dortoir de quatre-vingt-seize enfants, que des garçons. Et le surveillant avait juste un rideau avec derrière son lit et son bureau. Et quand il y a quatre-vingt-seize gamins, il y en a toujours un qui gueule la nuit, presque toutes les nuits : un cauchemar. Eh bien, le surveillant ouvrait les rideaux, allumait les lumières, coup de sifflet : hiver comme été, on pliait les couvertures, on pliait les draps, et des tours de cour. Il nous faisait parfois le coup de nous faire lever deux fois dans la même nuit. Car il aimait les forts. Les autres, il s'en foutait. Quatre ans de ça. »

La femme de Jean-Pierre, Chantal, entre dans la pièce. Très vitale, chaleureuse et « incarnée », c'est avec une délicatesse, une pudeur nordique, qu'elle nous invite à déjeuner. On sort dans une cour fleurie et on monte un escalier extérieur de leur maison, qui fait plus ancienne que ses cent ans. On s'installe dans la salle à manger lumineuse où règne le bois. L'ambiance est très accueillante mais aussi discrète, différente de beaucoup d'habitations de vignerons alsaciens que je connais, qui semblent vivre au premier degré avec les bibelots et le kitsch du folklore régional. À force de vivre entre deux identités, passant des Français aux Allemands et inversement pendant des siècles, les Alsaciens se sont attachés aux symboles locaux. Chez les Frick, on n'a pas l'impression que le superflu a été éliminé, mais plutôt qu'il n'a jamais eu sa place. Il y a dans cette charmante et sérieuse maison un ordre simple, clair et attachant. Sans doute plus tendre qu'un décor bressonien, je dirais un lieu comme Ozu aurait pu en imaginer s'il avait été français. Ou plutôt alsacien. Leur fils Thomas, vingt-neuf ans, s'installe. J'avais connu leurs deux filles lors du procès de Jean-Pierre en mars 2014. Mais c'est Thomas qui travaille avec ses parents et reprend le flambeau.

Le déjeuner est servi. Une salade de leur potager avec des herbes tellement parfumées qu'on pense être dans les champs. Des légumes aux saveurs tellement profondes qu'on ne sait pas si on mange la terre ou le fruit. Une tourte salée qui élargit le palais. Mais rien de chichiteux. On mange avec attention, on lance un mot sur la qualité, le plaisir des plats, comme on le fait avec les sylvaners et le riesling sublimes, rafraîchissants et revigorants que Chantal partage avec un sourire confiant. Mais ils ne veulent pas en faire trop.

À table, ils ont surtout envie de discuter, d'être ensemble et avec nous. Bien boire et bien manger est une chose normale. En faire le but de l'action de se mettre à table enlèverait sa raison d'être à ce geste simple et quotidien. Le transformer en culte, surtout en culte de la consommation, serait un anathème. Déjà, à travers les plats et les vins, les principes de la biodynamie sont mis en application. On ne se délecte pas seulement des saveurs et des parfums, on se nourrit et on sent son corps reconnaître la nature qu'il assimile avec une joie physiologique plus que psychologique.

Cela nous fait du bien. Même si la profondeur des saveurs pourrait évoquer un restaurant soigné et luxueux, on ne saurait en être plus éloigné.

Jean-Pierre veut ajouter un mot sur son père : « Mon père était très sensible au bio, il jardinait beaucoup, il était dans les associations de jardinage, il avait une grande sensibilité pour tout ça… C'est lui qui m'a transmis cet intérêt. » Son père est passé de 2,5 hectares à 5 puis 6 au fil du temps (par troc ou achat). Aujourd'hui, Jean-Pierre gère 12 hectares avec son fils et dit qu'ils peuvent nourrir deux familles avec cette surface. Il calcule ses prix de vente – départ de la cave à 5 euros, à 11, 13 et à 18 pour les grands crus – dans l'objectif de ne pas trop s'endetter et de maintenir le domaine agricole en bon état, mais aussi de ne pas gagner plus que ce dont ils ont besoin pour vivre dignement.

Après un deuxième verre, on rigole un peu plus. Jean-Pierre raconte une histoire qui le trouble par rapport au nouveau succès commercial du vin naturel, mais avec les yeux qui brillent :

« Dans un salon, comme ça, on troque toujours entre vignerons. Et depuis des années il y a un gars en Champagne qui fait un travail que j'apprécie beaucoup. Je lui donne des vendanges tardives car il y a beaucoup plus de boulot dedans, même plus que dans les bouteilles de champagne. Bon, la dernière fois qu'on s'est vus je lui ai dit : "Ah tu en as encore…" Il m'a fait signe que oui, donc je lui ai dit : "Bon, écoute, tu m'en mets six de côté, et qu'est-ce que tu veux en échange ?" Alors il répond, un peu gêné : "Maintenant mon vin vaut 69 euros." » Jean-Pierre nous regarde, un sourire malin aux lèvres. « Ça m'a fait un petit froid et, la nuit, ça m'a travaillé. Donc je me suis dit, il faut que je me libère de ce stress… Alors le lendemain je lui ai dit : "Bon, écoute, je te rends cinq de tes bouteilles, j'en garde une et en échange je te donne cinq de mon sylvaner vendanges tardives, pour lequel j'ai beaucoup travaillé aussi." Il m'a donné une deuxième bouteille et il a repris les quatre autres. »

Thomas ouvre une bouteille de leur pinot noir. Pendant longtemps, quand je goûtais les pinots noirs chimiques des années 1970 et 1980, je trouvais ce rouge alsacien fade, trop maigre et sans relief par rapport à son expression sublime dans les rouges bourguignons. Depuis que j'ai découvert les pinots noirs des vignerons naturels, Frick, son ami Marc Tempé à Zellenberg, ou encore Bruno Schueller, je me suis rendu compte que ce cépage est capable d'atteindre une apothéose de complexité minérale, de fraîcheur acide et de bonheur pur de jus de fruits, en Alsace, quand il est bien mené. Chez ces trois vignerons et d'autres encore, souvent, il m'apporte autant que les plus grands vins de Bourgogne. Mais au lieu de 70 ou 200 euros, le prix hélas, aujourd'hui, pour les rouges renommés de Bourgogne, ici on vous demande 10 à 20 euros.

Alors qu'on se délecte du vin, c'est le sourire qui prend le dessus maintenant, chez nous tous. « Le vin peut nous aider à connaître le déclic que certains n'osent pas provoquer par eux-mêmes. Le vin est un ferment humain de résistance. En Alsace, il y a trente ans, on était deux en biodynamie ; moi et Eugène Meyer. On était trois en bio. Aujourd'hui, on est deux cent quatre-vingt-dix en bio dont un bon tiers en biodynamie. C'est quand même extraordinaire.

« Le domaine de mon père était bio depuis les années 1970. Il n'a jamais désherbé, même quand les chambres d'agriculture encourageaient à utiliser les désherbants. C'était juste le bon sens paysan chez lui. Moi, par contre, je voulais faire de l'écologie mais je me suis inscrit trop tard pour la seule école en France.

« Alors, j'ai fait de la viticulture, en bio, en Suisse et un peu en Allemagne. J'ai vu que le bio comme on nous le conseillait à l'époque ne fonctionnait pas. Ce n'était pas assez vivant, tu appliquais une recette bio à la place de la recette pas bio. Ce n'est pas satisfaisant pour un homme curieux – et nous le sommes tous – si tu ne peux pas rentrer dans et sentir les choses. J'avais lu Steiner pendant ma période d'objection de conscience. Et c'est comme cela qu'on en est venus à la biodynamie. »

Je me rends compte que je viens de terminer mon troisième verre de vin à déjeuner et que je ne me sens aucunement ivre, ni même étourdi. L'équilibre à l'intérieur du vin, l'équilibre entre les vins et les mets, l'équilibre entre alimentation et échanges humains... et surtout l'absence du mariage assassin entre l'alcool et la chimie sont les responsables de ce bien-être. Du moins, telle est mon expérience, depuis une quinzaine d'années. Et surtout quand il n'y a pas de soufre, toutes ces sensations – toutes mes sensations – sont encore plus aiguisées.

« Après, reprend Frick, j'ai rencontré des vignerons brillants et innovateurs comme Pierre Overnoy, ou des cavistes du même genre, comme le caviste philosophe Michel Le Gris à Strasbourg, qui était déjà au rendez-vous quand il n'y avait pas grand monde. » Le Gris, caviste hors pair, est également l'auteur d'un très beau, très dense livre à l'avant-garde de la réflexion sur le vin comme agent éthique et civique de notre époque, *Dionysos crucifié*, publié en 2000. « Ils m'ont aidé à comprendre certaines choses. Par exemple, le passage au sans soufre était difficile. C'était en 1979. Je n'avais jamais osé sauter le pas, jusqu'à ce moment-là ! On fait des erreurs parce qu'il faut désapprendre tout ce qu'on a appris pour se protéger de l'impossible et là, tout à coup, tu décides de faire l'impossible, donc tout ce que tu as appris avant ne te sert plus à rien. »

Son fils Thomas l'écoute. « En Alsace on dit : "Quand le fruit est mûr il tombe de l'arbre." » Jean-Pierre sourit. « C'est à partir de 1999 qu'on voit des essais sans soufre. Aujourd'hui il y a Christian Binner, Bruno Schueller, Patrick Meyer, Jean-Pierre Rietsch, Marcel Deiss. Marc Kreydenweiss n'en est pas loin. Une dizaine, Marc Tempé aussi, qui fait de très bons vins. Mais Marc n'est pas tout à fait mûr pour se passer de soufre, ce qui est absolument juste par rapport à son parcours. Chacun doit arriver suivant son propre chemin. Il n'y a pas que le critère du soufre. »

Il va chercher un sylvaner sans soufre, pour nous montrer qu'on peut le faire dans un moelleux aussi. « Pour ceux qui se mettent au sans soufre, ça devient une excitation. Tu les bois et puis tu es vachement créatif. C'est-à-dire que ce n'est pas nous qui faisons le vin, nous ne faisons que l'accompagner, mais tu es dans quelque chose qui est neuf, beaucoup plus neuf, vital et libre. Donc tu es plus interpellé, c'est anti-ennui. Il y a toujours à chercher… »

On goûte le sylvaner sans soufre moelleux. Il est frais, limpide et vital comme les autres, en dépit de son taux de sucre résiduel. Toujours frais nous-mêmes (même si pas tous très limpides…), nous quittons la pièce pour aller dans les vignes, le lieu toujours pour moi le plus passionnant. Jean-Pierre termine pendant qu'on traverse la salle d'accueil.

« J'estime que, sans levure, sans soufre, je suis aussi proche du terroir que possible. Et c'est ça le but. Mais je ne suis jamais blessé quand les gens n'achètent pas. Mon plus grand bonheur, c'est quand les gens sont étonnés. Là, j'ai rempli ma fonction culturelle. »

21

Frick Frac

Nous sommes sur le point de sortir dans la cour principale où la voiture est garée quand éclate un orage d'été. Jean-Pierre et Thomas regardent la pluie tomber avec inquiétude ; les trombes d'eau se transforment vite en grêle. Les billes de grêle grossissent et leur intensité augmente. Cela peut être catastrophique pour les vignes, tout casser, tout ruiner. Un orage de dix minutes peut leur faire perdre la récolte de l'année. Un moment de grande tension, un drame est possible. Mais père et fils ne disent rien.

Dès que ce violent et bref orage est terminé, nous montons en voiture et faisons rapidement le trajet de trois ou quatre kilomètres qui sépare la maison des vignes à flanc de coteau. La tension est palpable. Le soleil de juillet a déjà percé les nuages et nous dévoile un paysage sublime de collines ondulantes, entre les Vosges, derrière nous, et le canton de Rouffach, devant, où les villages voisins forment des grappes de toits rouges autour des clochers blancs. La plaine s'allonge doucement devant nos yeux. Mais, en suivant ses courbes légères, en promenant nos regards dans ce tableau humide, nous apercevons aussi la poussée du béton dans le monde… et pire : nous voyons, à une vingtaine de kilomètres, les cubes et les cylindres blancs de la centrale nucléaire de Fessenheim.

La fragilité de la résistance de la famille Frick est tangible partout.

Jean-Pierre et Thomas inspectent les vignes. Dans la parcelle située juste au-dessus de Pfaffenheim, les feuilles sont trouées net, des grains ont explosé, sont fendus, arrachés, sur toute la face nord. Mais, par miracle, les autres vignes n'ont pas été atteintes. « Tant mieux ! » s'exclame Thomas. De la cour, il n'imaginait pas cela. Il confie avoir été beaucoup plus inquiet que son père. « Le problème ce n'est pas ce qui est cassé, c'est que quand les raisins sont serrés la pourriture peut s'étendre… Mais il n'y a que 10 à 15 % d'une seule parcelle atteinte par la grêle. » Ils soupirent. Jean-Pierre, resté calme, est plutôt joyeux dès qu'il est dans les vignes. Mais il laisse Thomas nous guider ; une tâche que le fils accomplit avec le naturel, la conviction et le savoir-faire de son père, mais sans l'insistance militante de ce dernier, à l'image de sa génération. Cependant, la transmission de la rigueur et de la foi semble s'être faite sans stress, avec un respect réciproque.

Dans les vignes des Frick, la nature est abondante, foisonnante, riche d'une variété impressionnante d'herbes et de plantes qui poussent partout. À vue d'œil, on dirait des vignes libres mais pas « sauvages », on y voit s'épanouir une vigne heureuse dans la nature et heureuse dans sa relation avec l'homme qui la soigne. C'est palpable. Inconsciemment, nous caressons tous les feuilles encore mouillées.

Nous marchons un peu. Chaque parcelle est visiblement différente. Dans sa topographie, dans le dessin des vignes, dans les couleurs de la terre et la complexité des verts. Thomas nous fait remarquer que « le riesling est mieux adapté par sa minéralité à ce sol si singulier, si gréseux. C'est le cépage le plus neurosensoriel. Il sent tout. Il stresse très vite. Quand il y a une sécheresse, il est le premier à faire la gueule. Il est tourmenté, mais c'est grâce à ces tourments, ces inquiétudes, qu'il apporte ses caractères. Le gewurztraminer est beaucoup plus bonhomme, il fait son boulot, il dit : "Foutez-moi la paix." »

Il ne fait aucun doute pour moi que j'entends un réalisateur parler de ses comédiens.

Le procès (ce n'est pas du Kafka)

Le soir, nous sommes allés dîner tous ensemble chez Marc Tempé à Zellenberg, à vingt-cinq kilomètres. Je buvais les vins de Tempé avec grand plaisir depuis longtemps, mais je ne l'avais rencontré qu'en 2014. Lors de la présentation de *Résistance naturelle* au festival de Berlin en février 2014, il m'avait téléphoné. Ayant appris dans les journaux l'existence de mon film, il m'invitait à organiser l'avant-première française du film à Colmar, le mois suivant, en soutien aux faucheurs de vignes OGM, lors de leur procès en appel.

La demande de Tempé dans ce contexte de festival me semblait surréaliste. Ça m'a fait réfléchir sur mon métier. Un festival pour un réalisateur, c'est comme une « bourse culturelle ». Entre des moments de reconnaissance (ou d'humiliation) pour son statut d'artiste démodé, il vit des moments – plus nombreux – dans l'état d'angoisse d'un petit commerçant qui risque la faillite. Il sait que son travail culturel n'a plus de vie publique en dehors de ce que lui octroie sa valeur marchande, elle-même complètement aléatoire. Alors, quel bonheur de savoir que des citoyens libres, loin du théâtre de la consommation culturelle, souhaitent établir un lien avec mon travail.

Le 19 mars 2014, je me suis rendu à Colmar afin de projeter mon film et de rencontrer Marc Tempé, vigneron et membre du comité de soutien. Parmi les cinquante-quatre faucheurs, il y avait son ami Jean-Pierre Frick. Par instinct, j'ai apporté ma caméra et, spontanément, j'ai fait un petit film de quarante minutes de ma journée à Colmar.

Ce que j'ai découvert ce jour-là était d'abord une solidarité concrète entre des inconnus. Avec leur base arrière située dans un centre paroissial, Tempé et un groupe de deux cents personnes sont venus manifester leur soutien aux faucheurs devant la cour d'appel de Colmar, mais aussi nourrir et loger les cinquante-quatre faucheurs de vignes OGM, eux-mêmes venus de tous les coins de France. Impressionnante était la quantité de nourriture offerte par des maraîchers, fromagers, fermiers et, bien sûr, par les vignerons. Il y en avait assez pour nourrir les deux cents personnes pendant dix jours. Impressionnant aussi, le nombre de personnes, jeunes et âgées, pauvres, bourgeois, médecins en congé, musiciens au boulot, et de les voir éplucher, cuisiner, servir, nettoyer. Impressionnante, enfin, l'ambiance qui alliait une réflexion sur la désobéissance citoyenne à la fête la plus chaleureuse. Et la qualité de la nourriture et du vin aurait suscité l'envie de nombreux chefs renommés !

Pourquoi sont-ils venus ? Il faut remonter aux faits.

L'INRA, l'Institut national de la recherche agronomique, avait déjà essayé de mener des expérimentations de vignes transgéniques – OGM – en plein champ, dans un petit coin de Champagne, avec la complicité du groupe Moët-Hennessy qui lui avait prêté une parcelle. Moët voulait rendre ses vignes plus performantes et l'INRA, sûrement, voulait faire avancer la science pour sauver le monde de la famine.

Mais, en 1999, suite à un article du *Canard enchaîné,* publié juste avant Noël, au bon moment, et intitulé « Des bulles transgéniques dans le champagne », qui racontait l'aventure et citait la marque Moët & Chandon, les dirigeants du groupe avaient compris que le public était hostile à ces recherches d'apprentis sorciers. Par souci de préserver l'image de leur marque, ils avaient exigé que l'INRA arrache les vignes OGM. L'institut avait voulu se rabattre sur Montpellier mais y avait été accueilli par des vignerons locaux très hostiles qui criaient : « Le Languedoc-Roussillon ne sera jamais la poubelle transgénique de la Champagne ! » Il avait finalement planté ses pieds transgéniques à Colmar, en 2005.

Marc Tempé, ancien fonctionnaire de l'INAO[1], explique que le centre de l'INRA de Colmar était sur le point d'être fermé et qu'il a fallu très peu d'arguments pour les convaincre de reprendre l'essai. « En plus, dit-il avec l'ironie alsacienne, *en Alsace, on est un peuple qui sait se soumettre* ! »

Ils ont planté soixante-dix pieds de vigne OGM illégaux en France, en plein champ ouvert, avec risque de contamination de tous les champs alentour… qui risquaient ensuite de contaminer leurs voisins et ainsi de suite *ad infinitum*…

Au Mexique, le patrimoine plurimillénaire du maïs, aussi complexe et divers sur le plan biologique et aussi culturellement significatif que la vigne en Europe, a déjà été irréversiblement dévasté par la contamination du maïs OGM. C'est comme si on avait décidé de détruire l'ensemble des objets mayas et aztèques présents dans tous les musées et sites archéologiques du monde, ne laissant que les traces des autres peuples minoritaires, et encore…

Dans la voiture, en route pour le dîner chez Marc Tempé, lors de notre visite en juillet 2014, Jean-Pierre et sa femme

1. Institut national des appellations d'origine.

se souviennent de leur action anti-OGM du 15 août 2010. Chantal dit : « J'ai soutenu Jean-Pierre dans son arrachage d'OGM. On n'en a pas trop discuté car la décision a été prise entre 23 heures et 4 heures du matin. En fait on a abrité les faucheurs chez nous, parce qu'il pleuvait et qu'ils devaient camper au fond d'une vallée. Mais il ne devait pas nécessairement être avec eux.

– Mais si ! corrige Jean-Pierre. On n'en parlait pas trop, tu vois, quand il y a une opération comme ça, le but, c'est d'arriver à l'effectuer et qu'il n'y ait pas la police ni les CRS. Il n'y a pas de téléphone, pas de courrier électronique, ça se fait par lettre. Il y a eu une opération définie et envoyée par lettre à un certain nombre de personnes et ceux qui étaient libres venaient. On ne savait pas combien allaient venir. Belle surprise de voir qu'il y en avait autant. » Le sourire d'écolier malin revient : « Ce n'était pas ma première entorse à la loi mais mon premier fauchage. J'étais quand même souvent à Fessenheim. » Il regarde sa femme. « Toi aussi. Et c'est là où Marc et sa femme se sont rencontrés. Mais c'était vraiment démocratique, on prend le temps, on ne laisse personne sur la touche, on réfléchit, c'est solidaire quoi. Pour le premier procès, au début, ils ont parlé d'un million d'euros, puis ils ont demandé 500 000 et on a finalement payé 50 000 quand on a été condamnés. »

Le 23 août 2010, juste après le fauchage, à la veille d'un déplacement ministériel en Alsace pour consoler l'INRA, Éliane Patriarca de *Libération* avait interviewé Frick sur ses motivations. Elle avait décrit la scène ainsi : « Demain, ce ne sont pas moins de deux ministres qui se déplaceront à Colmar (Haut-Rhin). Valérie Pécresse (en charge de la Recherche) et Bruno Le Maire (Agriculture) viendront exprimer leur soutien à l'INRA et renouveler leur condamnation des faucheurs volontaires. Il explique pourquoi il a pris le risque d'être condamné à deux ou trois ans de prison et à une amende de 75 000 à 150 000 euros.

« EP : Pourquoi avoir saccagé cet essai, scientifique et sans vocation commerciale ?

« JPF : J'ai quarante ans d'expérience, je me suis battu contre les pesticides, on ne peut plus me raconter de salades ! On sait très bien la finalité pratique et commerciale du développement des plantes transgéniques. Cet essai en plein champ est surtout destiné à faire accepter les OGM en France.

« EP : Mais l'essai était destiné à la lutte contre la maladie du court-noué, qui toucherait 60 % des vignobles français et menace la viticulture…

« JPF : Des mensonges. Même si 60 % des vignes sont atteintes, elles ne vont pas toutes développer la maladie. Le court-noué, tout le monde s'en fout. Certains considèrent même qu'en obligeant à couper des grappes, il réduit la quantité et augmente la saveur ! La viticulture n'est pas menacée. La preuve, l'UE verse 5 000 euros par hectare de vignes arrachées définitivement à cause de la surproduction.

« EP : Que craignez-vous ?

« JPF : Je suis agriculteur bio et je veux préserver mon outil de travail. Or on voit bien avec l'exemple espagnol que la cohabitation entre cultures génétiquement modifiées et cultures conventionnelles est impossible. En Catalogne, la contamination est telle que la culture de maïs bio est devenue quasi impossible.

« EP : Comprenez-vous le désarroi de chercheurs dont vous ruinez huit ans de travail ?

« JPF : Comprenez-vous que je ne suis pas un voyou ? J'ai une famille, une exploitation qui fait vivre six personnes, et pas de revenu garanti. Si j'ai pris le risque d'aller en prison, c'est que les faucheurs cristallisent ce que ressentent nombre de citoyens. Les sondages montrent que 80 % des Français refusent l'usage des OGM dans les champs. Mais on ne nous écoute pas. »

Frick et les autres faucheurs ont été condamnés en première instance, fin 2011, à 57 000 euros de dommages et intérêts payables à l'INRA et à deux mois de prison avec sursis.

Le 14 mai 2014, deux mois après le second procès, la cour d'appel de Colmar, à la surprise de tous, a donné raison aux 54 faucheurs, en prononçant la relaxe. Les trois magistrats ont estimé que l'implantation des vignes OGM par les organes du gouvernement était illégale et allait à l'encontre du bien public. Ce jugement était littéralement extraordinaire. Il remettait en question l'ensemble de la politique agroalimentaire française, voire européenne. D'un point de vue juridique, il annonçait une remise en question presque révolutionnaire.

Je m'attendais à ce que la nouvelle fasse la une de tous les journaux français, au minimum. Mais le lendemain, rien. Page 23 dans *Le Monde*, caché, marginal, un fait divers du monde marginal des écolos militants. Dans *Libération*, radicalement désincarné, désossé même, depuis 2010 et le premier papier sur l'affaire, on constatait le même non-traitement. Aucun journaliste n'avait été envoyé par *Libération*, *Le Figaro*, ni aucun autre journal ou magazine national.

On arrive chez Tempé à Zellenberg. De belles bouteilles, de bonnes grillades et un bel accueil nous attendent, une chaleur alsacienne peu connue mais très réelle. Je lui demande si détruire la propriété publique ne l'a pas gêné. Encore ce sourire d'écolier qui ne cède pas devant le pouvoir de l'administration : « Tu sais, si on arrivait à arrêter Fessenheim sans la faire exploser, on n'hésiterait pas un instant, des choses de cet ordre-là... Tout ça, ça a prouvé que, quand le gouvernement est défaillant, c'est aux citoyens d'agir. »

Le lendemain du jugement, l'INRA, le CNRS et huit autres institutions gouvernementales ont dénoncé la relaxe des faucheurs, estimant que c'était une offense à la recherche scientifique, remettant en cause la compétence de la magistrature et ont menacé d'aller en cassation.

François Houllier, président de l'INRA, avait déjà allumé un contre-feu médiatique le jour même, le 14 mai 2014, en publiant une tribune sur le site de l'INRA, dans laquelle il relançait de manière tartufesque le débat sur le rôle et la place de la recherche publique, regrettant la « paralysie de la recherche publique sur les OGM » du fait de l'action des faucheurs volontaires. Rappelons que cette recherche publique-là avait été initiée puis abandonnée par Moët-Hennessy, et notons que ses vrais enjeux apparaissent clairement dans la suite de son propos.

Comme celui de Fleur Pellerin devant les professionnels du cinéma, son discours n'est pas celui d'un homme de l'art (ici l'art de la science) mais d'un commis au service des grands groupes. D'un sophiste qui se cache derrière des incantations à base de grands mots républicains : « Ce choix démocratique ne doit pas amener le service public de recherche à baisser la garde dans ses travaux sur les OGM. Pouvons-nous en effet renoncer à étudier – comme l'exige souvent la société – leurs impacts environnementaux ou sanitaires alors que leur expansion mondiale est une réalité ? » Tout d'abord, prendre les produits artificiels de

Monsanto et consorts pour une « réalité », voilà un gage d'aveuglement ou d'allégeance extraordinaire pour un scientifique qui se doit d'abord de douter de tout et de distinguer les artefacts, les produits de synthèse, des réalités. Les armes chimiques sont une réalité, les armes nucléaires et le crack aussi… Faut-il pour autant les expérimenter en milieu ouvert, dans la réalité justement, pour voir ce qui se passe ? On se croirait encore dans les années 1960 à Mururoa où l'armée française et sa curiosité scientifique ont procédé à 138 essais nucléaires.

Il poursuit son plaidoyer *pro domo* et laisse de côté les fétiches républicains pour montrer son vrai visage industriel : « Pouvons-nous laisser à d'autres la maîtrise des technologies les plus récentes et brider ainsi la compétitivité des entreprises françaises et européennes sur les marchés étrangers ? » Où l'on voit que les préoccupations mercantiles de Fleur Pellerin en matière de « contenus » rejoignent celles de Houllier en matière de « technologies » et que l'INRA semble se considérer comme le service recherche et développement – délocalisé dans le secteur public, cela coûte moins cher – des grands groupes du secteur des biotechnologies.

Le recours a bien eu lieu, et, le 5 mai 2015, la Cour de cassation a annulé partiellement la relaxe des faucheurs. Dans son arrêt, elle considère que la cour d'appel n'a pas suffisamment justifié l'illégalité de l'essai. L'avocat des faucheurs considère, lui, qu'il « s'agit donc d'une cassation de pure forme ». Le procès a été renvoyé à la cour d'appel de Nancy, nouvelle étape d'un procès qui dure depuis cinq ans et constitue un combat d'avant-garde. C'est toute la démocratie qui est en jeu.

22

Une (petite) fin (avant la vraie)

Une des grandes tragédies de notre époque est que ceux qui n'ont pas de connaissances scientifiques solides – et nous sommes un très grand nombre dans ce cas – sont complètement soumis au mécanisme d'expertises multiples par lequel l'idéologie dominante nous contrôle. J'entends par cela la théologie de la science. Dans ces sociétés productivistes-consuméristes où les entreprises (nationales, multinationales, transnationales) ont remplacé les États, la science est le moteur du pouvoir ; pouvoir réel, concret, empirique dans la production des biens et des services, pouvoir symbolique dans l'ascendant moral que la science a pris sur toute question ontologique.

Chose tout aussi grave, parmi les scientifiques, la compartimentation des savoirs et la spécialisation à outrance – démarche obligatoire dans tous les secteurs de notre société (« *divide and conquer* ») – leur enlèvent les armes avec lesquelles ils pourraient se défendre eux-mêmes. Même ceux qui sont animés des meilleures intentions n'ont pas la formation philosophique, historique ou esthétique qui leur permettrait de placer leurs études spécifiques et leurs ambitions de chercheurs dans un contexte culturel plus large.

Lors de la présentation de *Résistance naturelle* à Milan en 2014, j'ai participé avec des vignerons du film à un débat avec le Pr Lucio Brancadoro, professeur à la faculté d'agronomie de Milan, et plusieurs de ses collègues, sous l'œil attentif d'une centaine d'étudiants en agronomie. Stefano Bellotti, Corrado Dottori et Stefano Borsa ont été traités avec un mépris que j'ai trouvé choquant de la part de scientifiques. Ridiculisés dès les premières minutes par le Pr Osvaldo Failla qui les a qualifiés de « sorciers et vaudouistes de la biodynamie », ils n'ont pas été non plus épargnés par les professeurs de cette université considérée comme la plus importante…

Dans une scène que j'ai vu se répéter avec quelques variations locales dans les facultés de Pise, de Parme et d'Ancône, les professeurs sont passés à l'attaque, défendant l'agriculture chimique comme l'unique moyen de sortir des problèmes d'alimentation dans le monde, niant catégoriquement le lien entre cancer et pesticides, les dangers des glyphosates et niant également que le réchauffement de la planète pose le moindre problème à l'humanité. Et en se moquant des trois vignerons présents, ils ont fait comprendre aux étudiants qu'ils avaient devant eux le choix clair entre des paysans ignorants et superstitieux ou la marche triomphale de la raison et du progrès scientifique.

Resté calme, Corrado Dottori, lui-même ancien élève de l'université Bocconi (à peu près le Sciences-Po italien pour les études économiques) avant de devenir agriculteur, a posé une question simple aux étudiants : « Combien d'entre vous ont étudié l'histoire et la philosophie de la science ? » Long silence. « Combien d'entre vous ont été amenés à remettre en question les méthodes scientifiques ou combien ont étudié les remises en question des philosophes de la science, comme Karl Popper ? » Un nouveau long silence. « Levez la main. » Aucune main ne s'est levée. Je filmais cet échange, fasciné par l'ambiance qui suggérait un débat théologique du XIVe siècle entre fanatiques religieux (surtout soucieux de protéger le pouvoir de l'Église) et humanistes. Tout en préparant mon petit film de trente minutes (*Desistenza a Milano*), je me suis posé la question : qui parmi les étudiants identifierait leurs professeurs parmi les humanistes et qui les placerait du côté des fanatiques intolérants ?

En tout cas, j'espère avoir laissé quelques doutes dans les têtes des étudiants quand j'ai posé la question au Pr Failla sur la source de financement de ses recherches et celles de ses collègues. Il a hésité avant de répondre. Il regardait autour de lui. « Nous ne sommes pas financés par le gouvernement, a-t-il finalement balbutié. Depuis longtemps, il n'y a plus d'argent. – Alors, d'où vient l'argent pour vos recherches scientifiques ? » Il a essayé de me regarder droit dans les yeux : « Du privé. – Ah, le privé. C'est-à-dire, qui ? » Les étudiants des derniers rangs l'ont-ils bien entendu prononcer quelques-uns des noms des plus grandes entreprises de l'agrochimie active en Italie : « Syngenta, Bayer, Monsanto... » ?

Enzo Tiezzi, chimiste et physicien à l'université de Sienne, homme profondément libre, avait bien compris ce problème, il y a plus de vingt ans, quand il a écrit son chef-d'œuvre *Les Temps historiques, les Temps biologiques*, dans lequel il dénonçait le danger de l'ultra-spécialisation : « La perte de la diversification augmente l'entropie. La super-spécialisation signifie aussi la perte de la culture interdisciplinaire, la fragmentation du savoir[1]. »

---

1. Enzo Tiezzi, *Tempi Storici Tempi Biologici,* Milan, Garzanti, 1992, p. 66.

Né en 1938, il venait d'une culture scientifique pour laquelle connaître les grands poètes Leopardi et Montale était aussi important que connaître les lois de la thermodynamique. Une tradition scientifique humaniste qui remontait aux Grecs et s'est poursuivie jusqu'à sa génération.

Puisque l'immense contribution scientifique, civique et humaniste que représente son essai, *Tempi Storici Tempi Biologici*[1], n'a (inexplicablement) jamais été traduite en français, il me semble utile d'en citer quelques passages pour élargir le propos de ce livre avant de le conclure.

Afin de nous raconter le décalage entre les mouvements de l'homme et les mouvements de la nature, menace mortelle pour l'espèce, Tiezzi nous amène à considérer que « toutes les actions humaines se soumettent à une loi d'airain, connue comme le "Second principe de la thermodynamique" ou la loi de l'entropie, qui affirme que toute l'énergie passe inexorablement d'une forme d'énergie utilisable à une forme d'énergie non utilisable et que toutes les activités humaines (particulièrement celles qui créent l'ordre et l'organisation) produisent inévitablement le désordre, les crises, la pollution et, en dernière analyse, la décadence de l'environnement qui les entoure.

« De l'usage approprié de cette loi dépend la qualité de notre vie ou la destruction de la Terre. »

Il poursuit : « La révolution industrielle a accéléré ce dernier processus. L'homme a le pouvoir et la capacité d'accélérer encore plus le processus de dégradation (en quête de profits, de consommation, d'hégémonie) nous amenant à la mort de la planète en quelques dizaines ou centaines d'années ou de ralentir le processus à des rythmes naturels,

1. Littéralement : *Les temps historiques, les temps biologiques.*

laissant à l'humanité et à la nature encore quelques millions d'années de vie[1]. »

Une page plus loin, il anticipe directement notre argument : « D'un point de vue biologique, on peut certainement affirmer que l'augmentation de la complexité des rapports et l'augmentation de la diversité génétique signifient l'augmentation de la stabilité de l'écosystème. "Complexité biologique" est synonyme de stabilité.

« Les capacités technologiques de l'homme ont créé un système artificiel, dont le potentiel, en ce qui concerne les modifications qu'il peut causer à la nature, est énorme. En règle générale, ces modifications se traduisent par la destruction de certaines espèces biologiques ou du patrimoine génétique, donc par la destruction de la complexité biologique, un monde vulnérable en tout[2]. »

C'est à partir de ce constat qu'il élabore sa vision des deux temps qui traversent l'histoire de l'homme. « Les cultures humanistes (marxiste ou capitaliste) manquent d'un paramètre fondamental dans leurs analyses historiques : *le temps biologique*. Les deux sont alors "statiques" et extrêmement limités dans leur prévision du futur. Le temps biologique est celui avec lequel on mesure l'évolution biologique et son unité de mesure pour étudier le passé est d'un ordre de grandeur de millions d'années. Des milliards d'années nous séparent de l'origine de la Terre ; des centaines de millions de l'apparition des algues, des bactéries, des trilobites, arthropodes ou poissons ; trois millions d'années depuis l'apparition de l'homme. Mais le temps biologique est aussi celui avec lequel il faut mesurer l'avenir de l'homme et la rupture des équilibres biologiques est en train d'induire des

1. Enzo Tiezzi, *Tempi Storici Tempi Biologici*, *op. cit.*, p. 56.
2. *Ibid.*, p. 57.

variations au niveau planétaire dans des temps tellement brefs qu'ils accélèrent l'horloge géologique. Des transformations qui s'opéraient avant en millions d'années peuvent maintenant s'opérer (à cause des déséquilibres induits) en quelques décennies. Les variations subséquentes pour les équilibres humains et sociaux correspondent à une accélération de millions d'années d'histoire. Autrement dit, les échelles biologique et historique se sont interverties, sachant que l'histoire documentée de l'homme par rapport à l'histoire de la Terre est presque mathématiquement infime et donc comme un flash statique dans la culture biologique… »

Et il conclut sa réflexion ainsi : « Pour la première fois, un historien n'a plus les unités de mesure du passé et du futur pour nous dire ce qui nous arrivera[1]. »

Cette phrase me hante depuis que j'ai son livre, un cadeau de sa fille Giovanna, offert deux ans après sa mort. Ce qu'il dit sur les historiens serait-il aussi vrai pour les artistes ? Ça a porté plus loin ma réflexion sur le rôle culturel *et* révolutionnaire des agriculteurs.

1. Enzo Tiezzi, *Tempi Storici Tempo Biologici*, *op. cit.*

23

La (vraie) fin

Naomi Klein, dans son livre nécessaire *This Changes Everything* (inexplicablement traduit en francais par *Tout peut changer* au lieu de « Ceci change tout »), éclaire l'enjeu des interactions entre capital, instrumentalisation de la science et menace apocalyptique du réchauffement climatique. En parlant des premiers déçus par le sommet de Rio de 1992 (année où le livre de Tiezzi a été publié en Italie), elle écrit : « Un autre cri d'alarme précoce avait été lancé par Steven Shrybman, qui a observé, il y a quinze ans, que la mondialisation de l'agriculture industrielle avait déjà fait souffler un vent dévastateur sur toute possibilité d'évolution concernant l'émission des gaz à l'origine du réchauffement. Dans un article publié en 2000, Shrybman soutenait ainsi que “la mondialisation des systèmes agricoles durant les dernières décennies a pratiquement été la cause la plus importante de l'augmentation générale des émissions de gaz à effet de serre”. »

Elle poursuit : « Cela avait beaucoup moins à voir avec le débat sur l'opposition entre produit importé et produit local, qu'avec la manière dont le système d'échanges internationaux, à travers la satisfaction des vœux des entreprises comme Monsanto et Cargill – de l'accès sans entraves au marché à la protection agressive de leurs rentes confortables –, a aidé à consolider et élargir le modèle de l'agriculture industrielle, avec sa forte consommation énergétique et son haut degré d'émission. Ce qui, à son tour, est une explication majeure des raisons pour lesquelles le système alimentaire mondial compte maintenant pour 19 à 29 % des émissions globales de gaz à effet de serre. »

Si on accepte que l'acte viticulturel est l'avant-garde de l'agriculture, il devient moins anodin ou anecdotique de considérer les attaques que ce modèle de rébellion – saine dans toutes ses expressions et ses significations – suscite de la part des pouvoirs du monde agriculturel. Le vin naturel devient manifestement une gêne pour ce qu'Olivier Assouly décrit dans son essai, *L'Organisation criminelle de la faim*. Essai qui pourrait également s'intituler « L'Organisation criminelle de la *fin* ». Aujourd'hui les vignerons artisanaux, indépendants, naturels, vecteurs de culture, tradition, innovation et modernité féconde, subissent l'assaut de toutes les institutions gouvernementales. Ils se retrouvent dans la même situation que les fromagers, bergers, charcutiers, éleveurs, cultivateurs de céréales, légumineuses, maraîchers et tous leurs confrères paysans libres.

Tous les jours, il y a des charcutiers, des fromagers, des paysans qui voient leurs produits incarnant un ancien savoir-faire, une vraie culture, confisqués ou rendus illégaux. Le cas de José Munnix à Herve en Belgique est typique. Après le travail de toute une vie, plus de trente ans d'activité, il a dû fermer définitivement ses portes en mai 2015 après que l'ensemble de sa production – 2 000 fromages – a été saisi par l'AFSCA[1]. Son crime ? Il fait ses fromages à partir de lait cru, comme ils ont toujours été faits à Herve.

Violente est la guerre des institutions pseudo-sanitaires, partout en Europe, contre les produits fermiers, sous l'impulsion du lobbying des grands opérateurs industriels qui, non contents de dominer le marché, cherchent maintenant à effacer la mémoire de ce qui est bon. Quand l'histoire et la tradition (inoffensive) deviennent illégales, il faut se demander si le totalitarisme n'est pas loin.

Les vignerons naturels défient parfois les AOC, la répression des fraudes, l'INRA, l'INAO et toutes les institutions qui font tout pour les rabaisser, les bannir, les faire disparaître. Toutes les institutions gouvernementales (au niveau local, national et européen) cherchent à les interdire. C'est ce qu'on a pu constater récemment avec l'affaire Giboulot. En 2013, le vigneron biodynamique Emmanuel Giboulot avait publiquement refusé de traiter ses vignes avec des pesticides nocifs contre la flavescence dorée, estimant qu'il était de son ressort de mesurer le danger et qu'il disposait de moyens propres (aux deux sens du terme) pour y faire face le cas échéant. Il s'opposait en cela à un arrêté préfectoral qui exigeait l'emploi d'insecticides, même chez ceux, comme Giboulot, qui travaillaient en biodynamie depuis trente ans. Ceux qui avaient des terres propres sans taches chimiques depuis trente ans.

Il aurait pu faire comme beaucoup d'autres vignerons bio et biodynamiques : ne rien dire, acheter les produits obligatoires pour conserver les factures en cas d'inspection, et ne rien faire après. Mais il a eu le courage citoyen de refuser en public l'hypocrisie et la peur, et de témoigner en

---

1. En Belgique : Agence fédérale pour la sécurité de la chaîne alimentaire.

tant que vigneron responsable, adulte et compétent. Pour ce crime, le procureur demandait six mois de prison et 30 000 euros d'amende ! Mais lorsque cette nouvelle a fait le tour des réseaux d'amateurs de vins naturels, il y a eu une éruption citoyenne. Plus de cinq cent mille signatures de soutien ont été récoltées, portant son discours au-delà des limites de son département, et même de la France. Peu après, même les médias traditionnels se sont sentis obligés d'en parler avec des articles d'une page entière dans *Le Monde* ou *La Repubblica.*

En avril 2014, la justice, cherchant une sortie discrète tout en affirmant le tort du vigneron, ne l'a condamné qu'à 1 000 euros d'amende dont 500 avec sursis. Mais il a décidé de faire appel, toujours animé par son désir de faire valoir son droit et sa responsabilité de vigneron, d'agriculteur libre. Il avait raison de ne pas accepter l'absurde, la cour d'appel de Dijon a fini par le relaxer le 5 novembre 2014.

Mais le combat continue, l'éveil collectif qui s'est manifesté autour de son cas a trouvé récemment de quoi se remobiliser. Un autre vigneron bio bourguignon, Thibault Liger-Belair, a été convoqué par le tribunal correctionnel de Villefranche-sur-Saône le 19 mai 2015, pour « refus d'effectuer les mesures de protection des végétaux contre les organismes nuisibles en l'espèce : lutte insecticide contre le vecteur de la flavescence dorée ». Il a obtenu une relaxe mais le harcèlement quotidien des vignerons naturels est une réalité qui risque de les réprimer, de les supprimer, de les faire disparaître dès qu'ils ouvrent trop la bouche… ou leur terre.

C'est ce que confirme Thierry Puzelat quand on lui demande comment il voit ces réactions hostiles de la part de différentes autorités légales : « Comme il y a vachement plus de médiatisation, le vin naturel emmerde tout le monde donc il y a forcément des réactions juridiques pour faire des exemples. »

Afin de protéger les vignerons contre toutes ces attaques, faciliter le développement des vins naturels dans un cadre éthique et tenir à distance l'industrie qui commence à croquer dans le fruit, différentes voies sont possibles, mais la question de la définition officielle se pose de manière récurrente.

Antonin Iommi-Amunategui, blogueur de *No Wine is Innocent*, sur le site Rue 89, a proposé dans *Manifeste pour le vin naturel* une reconnaissance officielle du vin naturel. Il écrit : « Il faut un vin naturel officiel pour que le reste de la filière, puis du monde agricole dans son ensemble – et avec lui toute la société –, en perçoive l'onde de choc, et se mette à son tour sérieusement en question, et bientôt, parions-le, en mouvement épique. » Et il ajoute en citant lui aussi le Comité invisible : « Le combat pour la reconnaissance du vin naturel est, en effet, la clé limpide d'autres reconnaissances car "toute insurrection, aussi localisée soit-elle [...], contient d'emblée quelque chose de mondial[1]". »

Mais on peut remarquer qu'en définissant le produit lui-même, en centrant l'attention sur sa texture ou sa composition, on reste dans un langage que savent bien comprendre et parler le monde de l'industrie agroalimentaire et la grande distribution. Ils peuvent facilement intégrer n'importe quel produit dans leurs canaux de production et de diffusion.

Puzelat, qui a longtemps été contre toute définition stricte, propose de déplacer la question du produit vers le mode de production. « J'étais totalement opposé à une définition ou à un label trop strict pour le vin naturel ; on était

1. Antonin Iommi-Amunategui, *Manifeste pour le vin naturel*, Paris, Éditions de l'Épure, 2015, p. 20.

un certain nombre à défendre l'idée que, si on établissait un cahier des charges comme dans l'agriculture biologique, on allait se retrouver avec des vins naturels industriels. La grande distribution allait s'engouffrer là-dedans.

« Aujourd'hui, je pense qu'il faudrait changer un peu. Cela vaudrait le coup d'être plus transparent et explicite. Mais s'il y a un cahier des charges officiel rien n'empêchera M. Carrefour de faire produire par n'importe quelle cave coopérative du vin dit "naturel". Alors, je me demande si le vin naturel ne devrait pas s'inscrire dans une démarche de culture paysanne, moins se préoccuper du cahier des charges de production, qui, bien sûr, doit être contrôlable par analyse et dégustation, purement juridique, mais défendre un mode de production dans un cadre de production précis, c'est-à-dire avec une conviction que l'exploitation doit faire vivre une famille mais qu'elle ne nécessite pas de faire soixante-dix ou cent hectares. Il n'y a pas énormément de produits agricoles qui peuvent fonctionner économiquement en surface petite ou moyenne. On a tous démontré que, avec le vin naturel, il est possible de vivre avec de petites surfaces ; un mec qui s'installe avec cinq hectares peut très bien s'en sortir. C'est aussi un enjeu pour l'agriculture de demain, qu'on arrête de faire du concentrationnisme et que la terre soit mieux répartie, qu'elle permette à plus de gens de vivre dans les secteurs agricoles qui le permettent. Et cela a un sens technique, au-delà, on ne maîtrise pas tout ce qu'il faut maîtriser pour faire du vrai vin naturel, aussi bien à la vigne qu'à la cave. »

Limiter la taille de la propriété, valoriser une démarche globale et pas simplement des procédures, certifier l'origine paysanne du vin sont peut-être les voies pour sortir du culte du produit, réifié dans la spéculation, et revenir au geste social, ancré dans une culture. C'est exactement la part de vivant du vin que l'industrie ne pourra jamais capter.

N'y a-t-il pas là de quoi abreuver les réflexions de cinéastes, d'écrivains, de chercheurs, de musiciens, d'enseignants, de libraires, d'artisans, de tout acteur culturel désireux de faire vivre la culture au sens le plus large possible, en se libérant des idoles et des fétiches de la consommation, de la concentration, de la gloire commerciale ?

Les vignerons naturels ont dû affronter le monde du vin conventionnel, rendu malade depuis des années par le culte du produit, son addiction à la chimie, au pouvoir, aux illusions du terroir imaginaire (une pièce que Molière aurait pu écrire). Ce monde des conventions marchandes du vin est soutenu par des porte-parole soviétiques, des apparatchiks tristes, cyniques, devenant hystériques quand on touche à leur grisbi. Michel Bettane, ex-commissaire politique de la *Revue du vin de France*, publication du ministère de la propagande chimico-industrielle, est devenu spéculateur sur la valeur de son propre nom, en trouvant tous les débouchés marchands possibles pour son guide du monde perdant (si pas encore perdu), le *Bettane + Desseauve*, un *wannabe Parker* français, écrit avec les mêmes mots de la *mimesis* de la mort que l'idole américaine. Et, fort logiquement, il s'est fait l'ennemi le plus apoplectique du vin naturel.

De quoi a-t-il peur ? D'un vin qui a le goût du vin (et non de la confiture de fruits rouges de l'usine) ? Qui est digeste ? Qui se partage généreusement ? Qui enthousiasme les jeunes et les moins jeunes et qui ne donne jamais mal à la tête ? D'un vin qui raconte l'histoire du vin ? Ou peut-être craint-il un vin qui menace le fragile château de cartes spéculatif sur lequel il a bâti sa renommée ?

Publié dans le *Gambero Rosso*, version italienne de *la Revue du vin de France* (homologues spirituels de *Decanter* en Angleterre et du *Wine Spectator* aux États-Unis et tant d'autres, en voie d'extinction, un des rares effets positifs de l'écroulement de la presse écrite), Bettane menace le lecteur italien ainsi : « On souhaite aux passionnés de vins en Italie de ne pas devoir subir ce qui est arrivé en France ; une invasion de mauvais vins, dits naturels… avec la complicité de nombreux sommeliers, cavistes et journalistes irresponsables. Les vins naturels sont faciles à reconnaître : les rouges puent… et toutes les vignes et les terroirs finissent par se ressembler parce que les mauvaises levures indigènes utilisées cannibalisent les bonnes. Les blancs – si possible – sont pires… plus ou moins oxydatifs d'emblée, ils sont tous mort-nés. » Plus loin, il nous régale encore plus : « Certes, quelques-uns des plus grands vins de la planète viennent d'une production inspirée par le bio mais, conscients de leur responsabilité, ils perfectionnent les vins dans la vinification avec les instruments de la propreté moderne. »

Il est vrai que le monde du vin naturel ne se contente pas de proposer une autre sorte de vin à la critique établie. Il implique aussi une nouvelle façon de parler du vin, pas seulement esthétique et distinctive, pas forcément hiérarchisante, mais plus globale, plus horizontale, plus consciente de tous les enjeux écologiques, économiques et politiques de la culture du vin. Comme les vins eux-mêmes, les journalistes vraiment intéressés par le vin naturel parlent de la terre, de l'écologie, de la convivialité et fréquentent les vignerons de manière fraternelle, et non en coulisse. Et personne ne reprocherait à un blogueur d'être ami avec tel ou tel vigneron, tout simplement parce que personne n'imaginerait spéculer sur le prix d'un vin de l'un que l'autre encenserait sur son blog. Dans ces conditions de liberté, c'est le cœur qui parle, pas le portefeuille d'actions, et, de toute façon, le jugement de valeur pseudo-objectif n'a pas beaucoup de place. On est loin des notes scolaires des guides conventionnels.

Le plus important, c'est que les vignerons eux-mêmes s'engagent. Qu'ils prennent la parole, diffusent des lettres d'information, comme Jean-Pierre Frick, ou fassent circuler des lettres ouvertes sur Internet comme Mathias Marquet (il a également envoyé une réponse dévastatrice à Bettane, qui a fait le tour des réseaux sociaux), créent des associations comme l'AVN (Association des vins naturels) de Thierry Puzelat (qui l'a quittée depuis, en bon *groucho*-marxiste) et quelques autres pionniers pour ne pas être phagocytés par des intérêts extérieurs. Sans prétention à quoi que ce soit, le vin naturel est une large éclosion subjective et libre qui diffuse autour de lui ces valeurs égalitaires précieuses, valeurs que les acteurs culturels – et surtout politiques – ont tant de mal à faire vivre aujourd'hui.

Mais l'aspect insurrectionnel le plus marquant dans ce mouvement, c'est que, en insistant sur le vrai geste non reproductible de la fabrication d'un millésime, voire d'une bouteille, en produisant des vins uniques et non calibrés, ils éliminent toutes les possibilités de récupération par la grande distribution. Et tout le monde éclate de rire en voyant les vins Naturae de Gérard Bertrand sur les étalages de supermarché, ou les bouteilles qui affichent NO SO2 sur leurs étiquettes[1]. Une bouteille de vin naturel ne s'achète pas comme

1. Il n'est pas surprenant non plus que les passagers d'Air France aient droit à la gamme « biodynamique » (en gros sur l'étiquette) de Gérard Bertrand (production annuelle de quinze millions de bouteilles)… sélectionnée par Michel Bettane, qui l'a nommé « signature de l'année » dans son guide.

cela, dans cet environnement-là, dans un geste automatique sans échange, au milieu d'une pharmacie. Ce n'est pas un produit, c'est une culture et un changement de paradigme.

C'est ce qui explique comment ils ont réussi, spontanément, au nom de personne ni de rien (et en résistant aux petits leaders qui voulaient prendre trop de place), à établir un réseau de personnes hétéroclites à travers le monde, et à transmettre les bonnes paroles, à transmettre ce qu'ils pensent être les bonnes expressions *matérielles* de la bonne parole. Et cela grâce à un autre transmetteur, lui-même considéré comme un égal et non comme un « sous-agent ».

Les tactiques démocratiques d'*Occupy Wall Street* (en passant par le Comité invisible) pour défier les hiérarchies, diminuer les antagonismes et les protagonismes personnels, traiter tout le monde en égal, sont hélas restées un rêve utopique, théorique et sans suite dans le monde concret. À l'inverse, dans le monde du vin naturel, les vignerons ont réussi à bâtir, petit à petit, de proche en proche, un autre modèle, empirique, éthique et joyeux. Mais surtout, ils l'ont fait avec pragmatisme, exactitude, et dans l'optique que cela puisse se développer dans le milieu du vin, mais aussi dans l'agriculture en général… et, si on l'ose, dans la culture tout court, tout aussi large que soit l'étendue de ce mot, dans toutes ses expressions magiques et, parfois, réparatrices.

Le mouvement du vin naturel est aussi un succès, selon les termes barbares de la société de consommation. On est passé en dix ans de deux à deux cent trente lieux à Paris où le vin naturel est un protagoniste majeur, d'un à cent cinquante à New York, d'un à quinze importateurs de vins naturels au Japon. D'une trentaine à des milliers de vignerons en France, d'une dizaine à près de cinq cents en Italie.

Des dizaines de milliers de vignerons, cavistes, importateurs, promoteurs passionnés dans tous les pays au monde où le vin tient une place (à l'exception de la Chine, seul lieu de croissance pour le vin de l'industrie agrochimique).

Des bluffeurs, des tricheurs, des mauvais, il y en a certainement. Comme dans toute activité humaine à toutes les époques. Qu'un vigneron s'autoproclame « naturel » ne donne aucune garantie de qualité, de plaisir, d'engagement. Cela ne garantit même pas qu'il soit vraiment naturel. Ou, pire, qu'un vin soit proclamé « naturel » (et donc sanctifié) par des chefs parisiens branchés (et tatoués), ou par des jeunes sommeliers-restaurateurs en affinité spirituelle et en proximité matérielle avec la Bourse, contribue à disqualifier cette expression. Il y a déjà ici et là des enrichissements spéculatifs et spectaculaires réalisés au nom de l'éthique du vin naturel. Et on peut être tout aussi dubitatif devant ceux qui, parmi les blogueurs, ont commencé dans un acte de liberté et de protestation et deviennent progressivement tout aussi narcissiques et complaisants dans l'exercice de leur petit pouvoir croissant que les Bettane et compagnie, compromis par l'industrie qu'ils ont dénoncée au début de leur ascension. C'est le risque de récupération et de complaisance qui menace toute réussite un peu trop rapide.

Mais tous ces problèmes annexes sont des détails devant l'énormité et la profondeur des sentiments des acteurs et des amateurs – un amateur à ce stade-là est aussi un acteur dans le drame (la comédie ?) – qui suivent les meilleurs de leurs instincts : les instincts biologiques, animaux, primitifs, mais aussi les instincts politiques, communautaires, culturels, éthiques, et qui osent défier, avec joie et simplicité, un monde qui exige tout le contraire.

Il faut réagir de manière radicale, c'est-à-dire « racinaire », dans toutes les activités culturelles, il n'y a plus aucun doute. Ceux qui ne le pensent pas sont les rares hyperprivilégiés (par talent ? par naissance ? par circonstance ?), égaux (dans tous les sens que la sonorité du mot propose) des grands banquiers spéculateurs, noyau du fameux « 1 % », qui, pour le moment, échappe à tous les effets nocifs de ce nouvel ordre autodestructeur. Sinon, c'est qu'ils sont aveugles ou organisent leur suicide.

Dans chaque activité, il faut inventer non seulement de nouvelles formes mais aussi de nouveaux régimes de production, d'échanges, de partage, de gagne-pain, dans un vrai commerce équitable de l'art et de la culture. Mais c'est aux acteurs de chacun de ces domaines d'inventer le leur, avec courage, avec une imagination fertile, avec une exigence éthique qui nous dépasserait tous.

À quoi servirait tout cela, devant la menace croissante des désastres écologiques, si la civilisation humaine était vouée à une disparition physique ?

Le propos de ce petit livre oscille à l'intérieur de cette question. Il part du constat que ce n'est pas par hasard si les dix mille années de ce que nous concevons comme la civilisation humaine, les dix mille années de la culture, correspondent aux dix mille années de l'agriculture. Aussi donquichottesque que cela puisse sembler à quiconque ose planter une petite idée dynamique, racinaire, dans un humus culturel chimique, dévasté, dont le sous-sol, porteur d'histoire, est dépourvu de mémoire minérale, il nous semble pertinent d'observer ces agriculteurs-paysans-vignerons qui nous ont inspirés tout au long de ce livre.

Ils ont affronté une société qui cherchait toujours le plus efficace, le plus jetable et remplaçable, le plus artificiel, qui utilisait la science sans conscience, autant pour tuer la vie biologique et culturelle que pour la propager.

Ils ont affronté leur propre monde – le monde agriculturel –, dominé, comme dans un pays totalitaire, par la loi du plus fort exercée par les transnationales de l'agrochimie, vecteur principal de ce détournement suicidaire de l'éthique scientifique.

Ils ont affronté leur métier, le monde du vin, transfiguré par les mécanismes chimiques de l'agriculture intensive d'un côté, défiguré par les mensonges culturels de la société de consommation spectaculaire de l'autre (où le vin est vu comme un produit de luxe, déconnecté de la nature et de l'homme).

Et tous, joyeusement, pacifiquement, mais, sans aucun doute, de manière insurrectionnelle, ils combattent avec les armes de l'époque pour que l'agriculture redevienne une culture, ce qu'elle a toujours été avant l'invasion de la chimie et de la spéculation financière et, faut-il ajouter, l'arrogance anthropocentrique des artistes.

Les vignerons naturels sont bien sûr des écologistes dans leur rapport à la *nature* mais ils sont tout autant des écologistes dans leur considération pour la *culture*. Cela peut nous donner une lueur d'espoir concernant l'avenir de ces deux sœurs jumelles de notre enfance, jumelles, espérons-le, de notre avenir.

Liste des vignerons cités

AMOREAU, Jean-Pierre, *Château Le Puy*, Saint Cibard (33)
AUBERT, Élodie, *Le Clos des Cimes*, Mérindol-les-Oliviers (26)
BELLOTTI, Stefano, *Cascina delli Ulivi*, Novi Ligure, Italie
BINNER, Christian, *Domaine Christian Binner*, Ammerschwihr (68)
BONACCORSI, Alice, *Valcerasa*, Randazzo, Etna, Sicile
BORSA, Stefano, *Domaine de Pacina,* Castelnuovo-Berardenga, Toscane, Italie
BRETON, Guy, *Domaine Guy Breton*, Villié-Morgon (69)
CORNELISSEN, Frank, *Azienda agricola Frank Cornelissen*, Solicchiata, Etna, Sicile
COURTOIS, Claude, *Les Cailloux du Paradis*, Soings-en-Sologne (41)
CROFT, Vasco, *Aphros Wine*, Arcos de Valdevez, Portugal
DARD, René-Jean, *Domaine Dard et Ribo*, Mercurol (26)
DEISS, Marcel, *Domaine Marcel Deiss*, Bergheim (68)
DESCOMBES, Georges, *Domaine Georges Descombes*, Villié-Morgon (69)
DONATI, Camillo, *Azienda Camillo Donati*, Barbiano, Parme, Italie
DOTTORI, Corrado, *La Distesa*, Cupramontana, Italie
FOILLARD, Jean, *Domaine Jean Foillard*, Villié-Morgon (69)
FOX, Kelley, *Kelley Fox Wines*, Carlton, Oregon, USA
FRANCHETTI, Andrea, *Tenuta Passopisciaro*, Castiglione du Sicilia, Etna, Sicile

Frick, Jean-Pierre, *Domaine Pierre Frick*, Pfaffenheim (68)
Frick, Thomas, *Domaine Pierre Frick*, Pfaffenheim (68)
Giboulot, Emmanuel, *Domaine Emmanuel Giboulot*, Beaune (21)
Gonzalez, Raphaël, *Le Clos des Cimes*, Mérindol-les-Oliviers (26)
Granges, Jacques et Marion, *Domaine de Beudon*, Fuly, Suisse
Grazia de, Marco, *Tenuta delle Terre Nere*, Randazzo, Etna, Sicile
Hérédia, Émile, *Domaine de Montrieux*, Naveil (41)
Joly, Nicolas, *La Coulée de Serrant*, Savennières (49)
Jouveaux, Alexandre, *Domaine Alexandre Jouveaux*, Uchizy (71)
Kreydenweiss, Marc, *Domaine Marc Kreydenweiss*, Andlau (67)
Lapierre, Marcel, *Domaine Marcel Lapierre*, Villié-Morgon (69)
Laurent, Philippe, *Domaine Gramenon*, Montbrison-sur-Lez (26)
Leflaive, Anne-Claude, *Domaine Leflaive*, Puligny-Montrachet (21)
Liger-Belair, Thibault, *Domaine Thibault Liger-Belair*, Nuits-Saint-Georges (21)
Marquet, Mathias, *Château Lestignac*, Sigoulès (24)
Métras, Yvon, *Domaine Yvon Métras*, Romanèche-Thorins (71)
Meyer, Charles-Eugène, *Domaine Eugène Meyer*, Bergholtz (68)
Montille de, Alix, *Domaine de Montille*, Puligny-Montrachet (21)
Nigl, Martin, *Weingut Nigl*, Seftenberg, Autriche
Oustric, Gérald, *Domaine de Mazel*, Valvignères (07)
Overnoy, Pierre, *Domaine Pierre Overnoy et Emmanuel Houillon*, Pupillin (39)
Pantaleoni, Elena, *La Stoppa*, Rivergaro, Italie
Pepe, Emidio, *Azienda Emidio Pepe*, Torano Nuovo, Italie
Puzelat, Thierry, *Le Clos du Tue-Bœuf*, Les Montils (41)
Ribo, François, *Domaine Dard et Ribo*, Mercurol (26)
Rietsch, Jean-Pierre, *Domaine Rietsch*, Mittelbergheim (67)
Roulot, Jean-Marc, *Domaine Roulot*, Meursault (21)
Schueller, Bruno, *Domaine Gérard Schueller et fils*, Husseren-les-Châteaux (68)
Souhaut, Hervé, *Domaine Romaneaux-Destezet*, Arlebosc (07)
Tempé, Marc, *Domaine Marc Tempé*, Zellenberg (68)
Thévenet, Jean-Paul, *Domaine Jean-Paul Thévenet*, Villié-Morgon (69)

Tiezzi, Giovanna, *Domaine de Pacina*, Castelnuovo-Berardenga, Toscane, Italie

Tscheppe, Andreas, *AT Wein*, Glanz, Autriche

Villaine de, Aubert, *Domaine de la Romanée-Conti*, Vosne-Romanée (21)

Villalobos, Enrique, *Vina Villalobos*, Valle de los Artistas, Lolol, Chili

Liste des cinéastes et films dans l'ordre d'apparition

PASOLINI, Pier Paolo
RENOIR, Jean
DE SICA, Vittorio
BRESSON, Robert
ROSSELLINI, Roberto
KUROSAWA, Akira
FELLINI, Federico
WERTMÜLLER, Lina
SCOLA, Ettore
MONICELLI, Mario
GODARD, Jean-Luc
BRAKHAGE, Stan
TARKOVSKI, Andreï
WENDERS, Wim
OPHÜLS, Max
WELLES, Orson
KUBRICK, Stanley
TARANTINO, Quentin
EUSTACHE, Jean
PENN, Arthur
KAZAN, Elia
ALTMAN, Robert
SCORSESE, Martin
CASSAVETES, John
COPPOLA, Francis Ford
POLANSKI, Roman
STONE, Oliver
AMIGORENA, Santiago
EISENSTEIN, Sergueï
CHAPLIN, Charlie
MIZOGUCHI, Kenji
WILDER, Billy
HITCHCOCK, Alfred
FASSBINDER, Rainer Werner
BERGMAN, Ingmar
RAY, Satyajit
RAY, Nicholas
ZHANGKE, Jia
CANTET, Laurent
KORINE, Harmony
NANAU, Alexander
ANGELOPOULOS, Theo
KECHICHE, Abdelatif
DE BROCA, Philippe

OZU, Yasujiro
ANTONIONI, Michelangelo
VON TRIER, Lars

Huit et demi (Fellini)
Citizen Kane (Welles)
La Dolce Vita (Fellini)
Luci della varietà (Fellini)
La Strada (Fellini)
Les Nuits de Cabiria (Fellini)
Au fil du temps (Wenders)
Alice dans les villes (Wenders)
L'ami américain (Wenders)
Paris, Texas (Wenders)
Resident Alien (Nossiter)
Nostalghia (Tarkovski)
Le Sacrifice (Tarkovski)
Andrei Roublev (Tarkovski)
Le Miroir (Tarkovski)
L'État des choses (Wenders)
Les Ailes du désir (Wenders)
The End of Violence (Wenders)
Reservoir Dogs (Tarantino)
Pulp Fiction (Tarantino)
Until the End of the World (Wenders)
Le Sel de la terre (Wenders)
Mondovino (Nossiter)
Sunday (Nossiter)
Signs & Wonders (Nossiter)
La Maman et la Putain (Eustache)
Searching for Arthur (Nossiter)
Bonnie & Clyde (Penn)
Little Big Man (Penn)
Night Moves (Penn)
MASH (Altman)
Le Parrain (Coppola)
Taxi Driver (Scorsese)
Quelques jours en septembre (Amigorena)
Les Enfants rouges (Amigorena)
Rio Sex Comedy (Nossiter)
Sur les quais (Kazan)
Résistance naturelle (Nossiter)
Le Plaisir (Ophüls)
La Ronde (Ophüls)
Madame de ... (Ophüls)
Le Voyage des comédiens (Angelopoulos)
L'Homme de Rio (De Broca)
Eyes Wide Shut (Kubrick)
Barry Lyndon (Kubrick)

Bibliographie indicative

ASSOULY, Olivier, *L'Organisation criminelle de la faim*, Arles, Acte Sud, 2013

BLOOM, Harold, *The Anxiety of Influence. A Theory of Poetry*, New York, OUP USA, 1997

BOURGUIGNON, Claude et Lydia, *Le Sol, la Terre et les Champs,* Paris, Sang de la Terre, 2008

BROWAEYS, Louise, PAZZIS de, Henri, *La Part de la terre. L'agriculture comme art*, Paris, Delachaux et Nietslé, 2014

CHAUVET, Jules, *L'Esthétique du vin*, Paris, Jean-Paul Rocher éditeur, 2008

CICÉRON, *Tusculanes*, Livre II, V, traduit par l'abbé d'Olivet, sous la direction de M. Nisard, Paris, Dubochet, Le Chevalier et comp., 1848

COMITÉ INVISIBLE, *À nos amis*, Paris, La Fabrique, 2015

COMITÉ INVISIBLE, *L'insurrection qui vient*, Paris, La Fabrique, 2007

DEBORD, Guy, *La Société du spectacle*, Paris, Gallimard, 1992 (réédition)

DEBORD, Guy, *Panégyrique, Paris*, Gallimard, 1993 (réédition)

Dictionnaire de l'Académie française, huitième édition. (Version informatisée sur le site Internet de l'Académie : http://atilf.atilf.fr/academie.htm)

Dictionnaire de l'Académie française, septième édition, Paris, Firmin-Didot, 1878

Dictionnaire de l'Académie française, sixième édition, Paris, Firmin-Didot, 1835

Dictionnaire de l'Académie française dédié au Roi, deuxième édition, Paris, Coignard, 1718

Dictionnaire de l'Académie française, quatrième édition, Paris, Veuve de Bernard Brunet, 1762

Dictionnaire de l'Académie française, revu, augmenté et corrigé par l'Académie elle-même, cinquième édition, Paris, J.-J. Smits, 1798

Dictionnaire de l'Académie française, troisième édition, Paris, Coignard, 1740

Encyclopédie ou dictionnaire raisonné des arts, des sciences et des métiers, première édition, tome 4, Paris, Le Breton, David, Briasson et Durand, 1751

FURETIÈRE, Antoine, *Dictionnaire universel contenant généralement tous les mots françois*, Amsterdam, 1690

HEDGES, Chris, *Wages of Rebellion : The Moral Imperative of Revolt*, New York, Nation Books, 2015

HEGEL, Georg Wilhelm Friedrich *Propédeutique philosophique*, traduit par Maurice de Gandillac, Paris, Éditions de Minuit, 1963

HEINICH, Nathalie, *Du peintre à l'artiste. Artisans et académiciens à l'Âge classique*, Paris, Gallimard, 1993

HEINICH, Nathalie, *L'Élite artiste. Excellence et singularité en régime démocratique*, Paris, Gallimard, 2005

IOMMI-AMUNATEGUI, Antonin, *Manifeste pour le vin naturel*, Paris, Éditions de l'Épure, 2015

JOLY, Nicolas *Le Vin, du ciel à la terre*, Sang de la Terre, Paris, 1997

KLEIN, Naomi, *Tout peut changer. Capitalisme et changement climatique*, Arles, Acte Sud, 2015

LAPAQUE, Sébastien, *Chez Marcel Lapierre*, Paris, Stock, 2004

LE GRIS, Michel, *Dionysos crucifié. Essai sur le goût du vin à l'heure de sa production industrielle*, Paris, Éditions Syllepse, 1999

MEVEL, Matthieu, *L'Acteur singulier*, Arles, Actes Sud, 2015

MOREL, François, *Le Vin naturel*, Paris, Sang de la Terre, 2013.

NICOLINO, Fabrice et VEILLERETTE, François, *Pesticides. Révélations sur un scandale français*, Paris, Fayard, 2007

NICOLINO, Fabrice, *Un empoisonnement universel. Comment les produits chimiques ont envahi la planète*, Paris, Les liens qui libèrent, 2014

POMMIER, Édouard, *Comment l'art devient l'Art dans l'Italie de la Renaissance*, Paris, Gallimard, 2007

RECLUS, Élisée, *Les Grands Textes*, Paris, Champs, Classique, 2014

RICHELET, César-Pierre, *Dictionnaire françois contenant les mots et les choses*, Genève, Jean Herman Widerhold, 1680

SERVIGNE, Pablo, *Comment tout peut s'effondrer. Petit manuel de collapsologie à l'usage des générations présentes*, Paris, Seuil, 2015

STEINER, Rudolf, *Agriculture. Fondements spirituels de la méthode biodynamique*, traduit par Daniel Simmonot, deuxième édition, Éditions anthroposophiques romandes, 1977

TARDIEU, Vincent, *Vive l'agro-révolution française !*, Paris, Belin, 2012

TIEZZI, Enzo, *Tempi Storici Tempi Biologici*, Milan, Garzanti, 1992

TORGA, Miguel, *L'universel, c'est le local moins les murs*, traduit par Claire Cayron et Louis Soler, Bordeaux, William Blake &Co., 1986

VIALA, Alain, *Naissance de l'écrivain*, Paris, Minuit, 1985

Remerciements

Merci à Manuel Carcassonne et Debora Kahn-Sriber, des éditions Stock, pour cette stimulante collaboration (la deuxième fois avec le witoldien pour Jonathan Nossiter), toujours menée dans la liberté et l'ironie fructueuse. Jean-Pierre, Chantal et Thomas Frick nous ont accueillis avec grande générosité en Alsace, ainsi que Marc et Anne-Marie Tempé. Giovanna Tiezzi et Stefano Borsa nous ont hébergés avec la grâce pacinesque à Castelnuovo-Berardenga lors de la première tentative pour trouver le chemin de ce livre... malgré les joyeux efforts de Miranda, Capitu et Noah Nossiter pour nous dérouter. Merci à Karim Ainouz et Mario Brandão, également présents à Pacina, d'avoir enrichi nos premières réflexions. Will Fitch, Irène Jacob, Jérôme Kircher, Carlotta Rampolla et surtout Santiago Amigorena ont hébergé – avec brio – Jonathan Nossiter lors de ses passages à Paris, ce qui a permis d'enraciner les échanges transalpins avec Olivier Beuvelet. Thierry Puzelat, Mathias Marquet et Doug Wregg ont sacrifié des moments précieux de leur travail pour porter en avant le nôtre. Camille Beuvelet, François-Marie Lemonnier et Edward Bradley ont pris le temps de lire avec attention et de partager avec nous leurs critiques. Stefano Bellotti, Elena Pantaleoni, Corrado Dottori, Antonio di Gruttola, Camillo Donati, Nino Baracco, Antonello

Canonico (parmi beaucoup d'autres agriculteurs), ainsi que Paula Prandini, Henri de Pazzis, Lucio Cavazzoni et Luca Gargano, ont approfondi notre vision de la relation entre l'homme et la terre.

Table

Imprimé en France
FRHW011922240222
30021FR00001B/15

9 782234 079069